WITHDRAWN
UTSA LIBRARIES

Der Fluß der Gedanken durch den Kopf

LIBRARY
University of Texas
At San Antonio

© 1976 by Residenz Verlag Salzburg
Alle Rechte, insbesondere das des auszugsweisen Abdrucks, vorbehalten · Druck und Bindung R. Kiesel, Salzburg · Printed in Austria
ISBN 3-7017-0156-3

PETER ROSEI

Der Fluß der Gedanken durch den Kopf

LOGBÜCHER

Das Logbuch des Saint-Exupéry

. . Uhr . . .
Im Anfang waren Wind, Sand und Sterne. Um die Freiheit des Menschen war es bestens bestellt. Es gab ihn noch gar nicht. – Exupéry träumte es mehr, als er es dachte. Er lag auf seiner Pritsche in der Unterkunft. Draußen begann sich die Sonne an die erwachende Welt anzuschmiegen.
François trank ein Bier, es war abends, er schob die tressenbesetzte Mütze nach hinten und kratzte sich am Kopf. – Geboren anno 1900, eine stolze Jahreszahl, fürwahr! – So dachte François, der Portier, während im Haus drinnen Exupéry zur Welt kam. – – Exupéry träumte das, was François, der Portier, vermutlich gedacht hatte, mehr, als er es dachte. Er war ein wenig benommen. Es war ihm, als würde man ihn aus einer festlich geschmückten Halle in eine schmutzige Straße hinausstoßen. Dann öffnete er die Augen. In der Dämmerung der Kammer sah er den weißen, eisernen Waschtisch und die Schüssel darauf und die Kanne. Er lächelte. So werde ich denn wieder getauft, dachte er.

. . Uhr . . .
Ein Flug nach Annecy-Grenoble, dachte Exupéry, das wird ein Flug über das Meer. Er blickte aus dem Fenster der Unterkunft: dünne, gekräuselte Frühwolken.
Wolken über Algero, als die Staffel auf Sardinien lag, Wolken über Bastia Borgo, jetzt, Korsika, diese südlichen Städte, das blaßrote Gestreif ihrer Dächer zum Meer.

. . Uhr . . .
Gestreif der Dächer, meeran, und die Zypressensäulen, gegen die ziegelroten Ziegel schwarzgrün, und der Traum von einer weißen, schwebenden Kugel in der Luft. Das ist der unverbindliche Aspekt der Ballonfliegerei, das Die-Taue-Loswerfen und das Steigen. Aber wohin? – Ich stelle mir das Abwerfen der Sandsäcke vor. Oder das freiere Atmen über dem Meer, den Flug, die langgestreckte Parabel des Fluges, die jähe Abknickung des Falls.
Ich verfasse eine Art von Logbuch. Ich verzeichne denkwürdige Begebenheiten. Ich setze die Zeichen auf das Papier und vor dem Fenster schneit es. So fällt der Schnee in die Landschaft, so fallen die Blütenwirbel aus Tusche von der Rohrfederzypresse des Litaipo. Dort fährt er im Boot, wie die Legende es will, ja, der Mond verdreht die Welt im Wasser des Westsees oder war es ein anderer?
Der Mond, der schöne Lampion, die leuchtende Segelfahrt über den Schlaf der Menschen hin. Sie durchrudern die schwarzen Meere, während er aufsteigt. – Wer hat die Taue gekappt? – Jetzt fliegt er, und die wenigen, die wachen, fürchten sich und schreien: *Flieg nicht fort!* Aber niemand hört sie. – Ich rufe nicht mehr. Ich trage meinen Spiegel ins Freie und tröste mich am Abbild des Mondes. Li hingegen trat an das Ufer des Sees. Das ist der größere Spiegel. So ist auch sein Logbuch ein umfangreicheres, genaueres geworden.

Die grauen Streifen der Dächer und die Bäume im Tal, die ihr Laub abgeworfen haben, winteranfangs, herbstendes, und die Raben kreuzen das Luftmeer. Es ist, als würde ein südliches Dorf langsam im Schnee versinken. Es ist, als würde eine Schrift langsam unleserlich werden. Mein Traum ist ausgefroren. Mein Atem trägt mich nicht mehr. Die Kunst des Fluges hat sich in jene des Sturzes verwandelt. Schnell fallen, schnell fallen und den Spiegel drehen im Sturz, daß der Mond noch leuchte in der finsteren Tiefe, während Li sich langsam über den Dollbord neigt, so will es die Legende, weil der Mond schwimmt und lächelt, der helle Fisch, und sanft der Wind geht, so sanft, so unbekümmert und leicht.

. . Uhr . . .
Die nackten Füße und alles, was damit zusammenhängt: Der Tag nach dem Regen, als die Habichte in der Luft waren und wir den warmen Lehm stampften und uns daran freuten, daß er, dem Druck nachgebend, zwischen unseren Zehen durchquoll. Oder daß das Wasser der Bäche gelb war und hoch ging und daß wir, Herren über Leben und Tod, hilflose Bienen aus Lachen fischten oder eben nicht. – Aber das sind Nebensachen: Die Habichte aber flogen quer durch die laue Luft nach dem Regen, wie man sagt, über die grüne Flur. Wir hörten ihre Schreie. Wir sahen sie stürzen, damals, ehe es Nacht wurde und wir heimkehrten ins Haus.

Das ist in Saint-Maurice-de-Remes gewesen, dachte Exupéry, das muß dort gewesen sein, oder war es in La Mole? – Er konnte es nicht entscheiden. – Später haben wir dann in Le Mans gewohnt ...
Die Pferdewagen und alles, was damit zusammenhängt: Morgens, wenn die blaubeschürzten Fuhrleute im Hof standen und rauchten und gemächlich die Pferde einspannten und wir beobachtend im Fenster lagen und uns daran freuten, daß wir, hinter dem Laub des Weines verborgen, nicht entdeckt werden konnten. Und wie die Fuhrleute den Pferden dann die prallen Hafersäcke umhingen und wie, von aus Unachtsamkeit verstreuten Körnern angelockt, die Tauben geflogen kamen. Oder der Tabakgeruch aus den Pfeifen der Fuhrleute und ihre Art zu reden, und das Scharren der Pferdehufe auf dem Pflaster. – Aber das sind Nebensachen: Die Tauben aber flogen durch die erste Milch des Tages, hoch über die Schornsteine und Strohwische, fort gegen das Dorf.
Das ist in La Mole gewesen, dachte Exupéry, das muß dort gewesen sein, oder war es in Saint-Maurice-de-Remes? – Er konnte es nicht entscheiden. – Später haben wir dann in Le Mans gewohnt ...

.. Uhr ...
Das ist in Bastia-Borgo gewesen, auf Korsika, wo Exupéry mit der Staffel 2/33 gelegen ist, so

wie sie früher in Algero auf Sardinien gelegen waren und noch früher in Oudjda, Algerien.
Es ist immer alles so, wie es gewesen ist, und doch muß man irgendwann bemerken, daß alles anders geworden ist als so, wie es gewesen ist, also war.
Das Kontinuum der Zeit, dachte Exupéry, fiktiv, dachte Exupéry, wie jenes des Raums. Er schob die Wolldecke zu den Beinen und sah im Strahl des vom Fenster her einfallenden Sonnenlichtes die Staubkörner tanzen. So tanzen die Mücken und die Sterne, dachte er. Er fuhr mit der Hand durch die Luft. – Den Raum erfährt man in der Bewegung. Der Raum ist eine Abfolge von dichten, tragfähigen und dünnen, nicht tragfähigen Schalen. Die Zeit erfährt man im Ableben. Die Zeit ist eine Abfolge von dichten, forttreibenden und dünnen, stehenden Zonen. – Ich stehe, dachte Exupéry, ich bin eingebrochen, dachte er, und indem er die Augen schloß, meinte er, sich durch die Finsternis fallen zu fühlen, bald schnell wie ein Stein, bald langsam wie eine Feder, fort und fort. Ich habe es nicht gewollt, dachte er, es ist mir zugestoßen.
Und er fürchtete sich nicht, nein.

. . Uhr . . .
Daedalos spannte metallene Drähte. Er schlug Pfähle in die Erde ein. An diesen spannte er die Drähte nach der Form der Vogelschwinge. – Exupéry erinnert sich. – Daedalos hatte die Fal-

ken beobachtet bei den Jagden, die erbeuteten Tauben danach. Er hatte die blutigen Vögel betrachtet und ihre Flügel. *Was beschäftigt ihr euch mit diesen toten Vögeln,* hatte der Fürst gefragt. Daedalos hatte gelächelt und wie in Zerstreuung auf das Meer hinausgewiesen, dessen Grün an jenes der sommerlichen Wälder erinnerte. Daedalos spannte die Drähte, warf geschmeidige Häute darüber, bezeichnete ihre Form. Dann holte er das Messer hervor, um die Häute zu schneiden. Die Tauben gurrten unter dem Dach. Wieder lächelte Daedalos wie in Zerstreuung. – Exupéry erinnert sich. – Daedalos formte Kugeln aus feuchtem Lehm. Fast war es wie Kinderspiel anzuschauen. Es hatte geregnet. – Exupéry erinnert sich. – Daedalos warf die Kugeln in die Höhe, betrachtete die Bahn ihres Falles. Er erschrak nicht, als er sie am Boden zerplatzen sah, er hatte es erwartet.

. . Uhr . . .
Was die Katastrophen betrifft, die Flugkatastrophen, so jene der *Hindenburg* zuerst, ihr Absturz anno siebenunddreißig in Lakehurst, New Jersey.
Eine Ebene, niederer Wald in der Ferne, aus dem ein Turm aufragt, einer, der jenem im Vordergrund gleichen mag, dem stählernen, dreifüßigen, der mit seinem schwarzen Gitterwerk in den dunklen Himmel steht, Hütten herum und laufende Menschen und Automobile rund um

den Fuß des Turms, an dessen Spitze der schön geschwungene Leib der *Hindenburg* zerschellt, hilflos, von Seilen gehalten, in Flammen aufgeht, eine große, pilzartige Rauchwolke ausstößt, sich in brennende Funken verliert, im Geschrei der Entsetzten, zerstäubt in den schwarzen, gänzlich leeren Himmel hinein, den das Luftschiff eben noch stolz durchquert, die stolze *Hindenburg*, zerstört jetzt, verglüht und abgestürzt.
1937 in Lakehurst, New Jersey, United States.

. . Uhr . . .
Die Segeltuchmontur und die Schwimmweste für alle Fälle und die Kappe, Schiffchen genannt, und auf der Kappe der schräg aufgesetzte, metallene Vogel und die vier Streifen darunter für den Rang: Sergeant Exupéry.
Es würde ein schöner Tag werden. Exupéry trat aus seiner Unterkunft. Es würde ein schöner Tag werden. Exupéry trat aus der Messe. Es würde ein schöner Tag werden. Exupéry trat aus der Wetterwarte. Ja, es würde ein schöner Tag werden, bloß in den Hangars war es noch dunkel.

. . Uhr . . .
Damals baute Daedalos die Flugmaschinen für sich und den Sohn. Nach der Form der Vogelschwinge bog er das Holz. Sorgsam wärmte er das Bienenwachs, um es hernach zu kneten. – Exupéry erinnert sich. – Die schwarzen Vögel

kreisten über dem Labyrinth, das ein Werk des Daedalos war. Es war ein dunkler Tag. Die See war stürmisch. Über der fernen Stadt schlugen die Wolken zusammen. – Exupéry erinnert sich. – Daedalus prüfte die Federn, warf die brauchbaren nach rechts, die unbrauchbaren nach links. Es war ein ganzer Berg von Federn. Mit einem Stab versuchte er den Stand der Sonne zu messen. Es mißlang. Daedalos blickte über den steinigen Abhang hin und über die weißen Mauern des Labyrinths und über die ferne Stadt und schließlich über das finstere Meer. Er wollte die Flugmaschinen bauen für sich und den Sohn. Er bog das Holz nach der Form der Vogelschwinge. So gedachte er zu entkommen. – Exupéry erinnert sich.

. . Uhr . . .
Erst einmal in der Luft sein, dachte Exupéry, er saß in seiner Maschine. Er war startklar.
Exupéry warf die Motoren an. Jetzt wurden die Tafeln geschwenkt. Die lange, gerade Rollbahn ohne Ablenkung durch Baum oder Haus. Die freie Luft! Der Flug!

. . Uhr . . .
Die scharfe Luft um die Insel! Morgens besuchte er den Freund, er ging über die Felder der Toten. Da standen schwarze Karren im Wind, Wasser lief aus den Brunnen. Die Stadt lag fern, mit

ihren Türmen, in denen viele Fenster waren und Säulen an Mauern, die Luft war voller Vögel.
– Ezra –
Gewiß hat er das Wort *Giudecca* gekannt und das Wort *Dogana* und das Wort *Frari*, und all meine Worte sind seine Worte gewesen, das verbindet. So steigt er in meinen Kopf und lebt. Oder ich treffe ihn in der Stadt, rufe ihm nach, aber er hört mich nicht, wendet sich einer der Gassen zu und läßt mich zurück. – Aber die Worte, die Wespen davon und die Bienen davon, aber die Luft um die Stangen und Türme, aber das Brot, von dem wir abschneiden und essen.
Um seinen Garten haben sie eine doppelte Mauer gelegt und ringsum das Meer. Es ist ein Schiff mit Erde darauf und mit Bäumen. Auch ich bin auf einem Schiff gewesen, auf einem eisernen Schiff mit Flaggen darauf und mit einer Dampfwolke darüber. So sind wir einander begegnet auf dem landumschlossenen Meer.

. . Uhr . . .
Jetzt liegt Kap Corse hinter mir, dachte Exupéry, das nördliche Horn der Insel.
Und Daedalos sah, daß ihnen die Insel Samos zur Linken, dann Delos und Paros, die Eilande, zur Rechten vorübergeflogen waren, und noch viele Küsten sahen sie schwinden, während Exupéry nur das Meer vor sich hatte, das freie, balkenlose, in seiner Tiefe.

. . Uhr . . .
Exupéry überprüfte das linke Querruder. Es war in Ordnung, es funktionierte. Die Position war etwa acht Grad östlicher Länge und dreiundvierzig Grad nördlicher Breite, berechnet nach dem Meridian von Greenwich, ein Punkt der Erde, mit dem man nichts zu verbinden braucht als ein etwa sechstausend Fuß tiefes Meer und ein paar Fische vielleicht.
Das war die Position Exupérys. Sie änderte sich von Augenblick zu Augenblick.

. . Uhr . . .
Und eines Tages habe ich dann das Meer gesehen. Da war es vor mir, so weit ich sehen konnte, eisengrau gegen den Strand zu, heller gegen die Ferne. Und die Vögel haben geschrien. Der Wind hat stetig geweht, scharf dem Land zu, ein steifer Nordost, so daß Wellen auf dem Meer gewesen sind, so daß die Wolken einander gejagt haben. – Meine Zunge hat nichts getaugt und meine Lippen haben nichts getaugt, ich war stumm vor dem Meer, und alles Reden ist beim Meer gewesen und nicht bei mir.
(Am Vortag hatte man die Leichen gefunden. Die noch immer vom vergangenen Gewittersturm aufgeregten Wellen hatten sie an Land geworfen. Einer der Fischer, der bei der Entdeckung dabei gewesen war, erkannte Shelley an dessen Ring. B. wurde herbeigerufen. Man wußte, daß die beiden befreundet gewesen waren. *Ein Un-*

glück, ein Unglück, jammerten die Fischer. Sie schlugen sich mit den Fäusten an die Stirn. Es war ein grauer, windiger Tag. Der Ufersand war naß und schwer. Die Rocksäume der Frauen trieften von Wasser. B. zog seinen Mantel enger um die Schultern. Über dem Meer hing kalter Rauch. Schon von ferne sah er sie liegen, unordentliche schwarze Bündel. Obwohl Shelley auf dem Gesicht lag, erkannte er ihn sogleich. Als die Fischer fragten, ob man die Leichen umdrehen sollte, verneinte er. Shelleys Haar war hart und struppig vom Salz.)
Das ist das Meer, habe ich gedacht, und weil ich es nicht begreifen konnte, habe ich mich der Leuchttürme entsonnen und der Piers und der bunten, schwimmenden Bojen. Da sind Boote am Strand gelegen, man hatte sie halb ans Ufer gezogen, ihre Kiele knirschten, wenn die heranrollenden Wellen sie hoben und wieder fallen ließen. Die Portugiesen, dachte ich, und die Spanier, die die Meere beherrscht haben mit ihren Schiffen. Oder die Niederländer, die Briten. Ich lächelte, weil alles, was ich dachte, so weit ab war von dem, was ringsum vorging, und es nicht traf.
(B. hatte befohlen, einen Scheiterhaufen aufzurichten. Er war aufgerichtet worden. Der Tag war windstill. Die Luft roch nach faulendem Tang. In der Ferne sah B. den Sand in der Sonne glitzern. Er ließ die Leichen an die Spitze des Holzstoßes binden. Er sah zu, wie die Fischer das Seil um Shelleys Nacken wanden. Ein paar Hunde

streunten in der Nähe herum. Ansonst war der Strand leer. *Wir sind fertig*, sagten die Fischer. Und B. gab das Zeichen, daß einer den Brand werfen sollte.)
Erde, Meer, Luft, geliebte Brüder! – Ich sah ein Schiff fahren. Ich sah ein schwarzes Faß am Ufer liegen. Da war das Meer. Da war das Meer. Da war das Meer ...

.. Uhr ...
Exupéry überprüfte das rechte Querruder. Es war in Ordnung, es funktionierte. Die Position war etwa sieben Grad östlicher Länge und vierundvierzig Grad nördlicher Breite, berechnet nach dem Meridian von Greenwich, ein Punkt der Erde, mit dem man nichts anderes zu verbinden braucht als ein etwa zweitausend Fuß tiefes Meer und den Ausblick auf einen hellen, seichteren Küstensaum, aus dessen Wassern sich, halb von Nebeln verdeckt, das Land zu heben beginnt.
Das war die Position Exupérys. Sie änderte sich von Augenblick zu Augenblick.

.. Uhr ...
Die Flughöhe ist konstant. Die Flughöhe muß konstant sein. Exupéry entsann sich des Aufbaues der Atmosphäre. Auch Flugzeuge bewegen sich in der erdnahen Zone. Die erdnahe Zone ist staubgesättigt. So entstehen Morgen- und Abendrot. – Die Kugelspiele der Kindheit. Der

warme Straßenstaub. Die späte Sonne im Rükken. – Bis jetzt war der Flugplan erfüllt. Exupéry drückte wieder einen der Knöpfe. Es war ein weißer, nun, weil er abgenützt war, elfenbeinfarbener Knopf.

..Uhr...
Was die Katastrophen betrifft, die Flugkatastrophen, so jene, die N. N. betraf, in der Mitte, weil N. N. ein Freund war, weil er dann gut aufgehoben ist zwischen all den Toten. Das ist in Trabzon geschehen, über dem Schwarzen Meer. La mer noire heißt es, wie ein anderes la mer blanc genannt wird. – Oder täusche ich mich: Ist es nicht beim Anflug auf Brest geschehen, beim Anflug auf Rouen, einer jener zahllosen Abstürze über dem Kanal, über dem bretonischen Meer?
N. N. in der Fliegermontur, auf dem Rollfeld, wo sonst, wie leicht ich das rekonstruiere. Im Unkraut, das die Landebahn säumt, hängt der Nebel. Die Sonne hinter den Hallen, jedes Ding rosa umrandet. Es muß ein Sommertag gewesen sein, so zeitig war es schon hell. Die Maschine auf dem Rollfeld, die Vögel schreiend in den Feldern ringsum, im Morgenwind eine Ahnung von Salz und Meer, wie selbstverständlich sich das in Szene setzt.
Start! – Die Vögel verstummen. Das Gras beugt sich im Luftstrom. Die auf dem Boden zurückbleibenden Menschen schauen, winken, winken

mit ihren Hüten, schauen, ehe sie das Außerordentliche über dem Alltäglichen wieder vergessen.
Später ist mir N. N. wieder in den Sinn gekommen. Es war bloße Erinnerung, aber das habe ich damals noch nicht gewußt.

. . Uhr . . .
Ja, die Fliegerkameraden, dachte Exupéry und er wunderte sich, als er sich plötzlich sagen hörte: *Während andere in ihren Zimmern auf und ab gehen und früher oder später erkennen müssen, daß sie eingesperrt sind, gehen wir, Fußgänger der Luft, in den Zimmern des Himmels auf und ab und sehen erst zuletzt, daß wir immer Gefangene waren.* Exupérys Verwunderung währte nicht lange. Er hatte mit einemmal Angst, daß mit der Maschine etwas nicht in Ordnung sein, daß ein Defekt auftreten könnte.
Der Flieger, sein Flugzeug, nichts sonst, dachte Exupéry, und doch ist der Flieger stets mit denen in Verbindung, die auf dem Boden zurückbleiben, dachte Exupéry, der Flieger ist gleichsam nur delegiert, er trägt die Verantwortung, die anderen nehmen teil, dachte Exupéry, der Flieger hat einen Auftrag, der ihm aufgegeben worden ist von den anderen, die am Boden zurückbleiben und teilnehmen am Geschäft des Fliegers, dachte Exupéry, und er wunderte sich, als er sich plötzlich sagen hörte: *Im Grunde genommen sind all die Landungen, die ich je durchgeführt habe, die von*

Fliegern überhaupt je durchgeführt worden sind, nichts anderes als Notlandungen gewesen! – Exupérys Verwunderung währte nicht lange. Er hatte mit einemmal Angst, daß er von Jägern entdeckt und abgeschossen werden könnte.
Ja, die Fiegerkameraden, dachte Exupéry und er sah sie durch die hellen Zimmer des Himmels gehen, Fußgänger der Luft, und nie an ihr Ziel gelangen, diese tollkühnen Fußgänger der Luft, scheitern.

. . Uhr . . .
Exupéry merkte plötzlich, wie eng das Cockpit war. Exupéry merkte plötzlich, wie allein er war in dem engen Cockpit. Den Druck der Kopfhörer empfand er wie eine Liebkosung. Die Stimme der Bodenstation schwieg schon lange.

. . Uhr . . .
Es sind so viele Worte gewesen, aber die richtigen, die, die für dich bestimmt waren, sind unter Steinen im Fluß gelegen oder sie waren hinter Wolken wie Vögel.
Es ist ein Feuer aufgestiegen, von der Milz her oder von der Leber, die Planeten sind gekreist, in der Schneeluft, im Kopf, da waren sehr rote Käfer in meinen Haaren und sehr schwarze Käfer an meinen Augen: Weinen! Regen fallen lassen über den Feldern! Flüsse losschicken zum Meer!

.. Uhr ...
Exupéry schaute durch das Seitenfenster des Cockpits. Unten war die blaue, spiegelglatte See. Die Tragfläche des Flugzeuges schnitt schräg in das Bild herein. Exupéry kontrollierte den Öldruck. Er schloß die Augen, ohne müde zu sein.
Im Juli von Bastia-Borgo gestartet, im Juli nach Bastia-Borgo zurück, eine sauber gezogene Schleife, nicht mehr, ein Flugunternehmen wie jedes andere auch, so dachte Exupéry. Und doch könnte sich plötzlich der weite Raum auftun: Keine Namen, keine Gravitation, keine Uhren ...

.. Uhr ...
Eine gute Stunde bin ich damals im Hochsitz deines Herzens gesessen. Aber das ist lange her. Die Wespen haben die Birne schon verzehrt, die in der Reife vom Baum gefallen war. Die Katzen haben die Milchschalen schon ausgeleckt, die wir ihnen vor die Tür gestellt hatten. – Da hast du recht, ich will es nicht leugnen. Ich selbst habe ja auch mein Haar geschnitten und mein abgetragenes Schuhwerk fortgeworfen. Ich habe mich gehäutet und andere, immer wieder andere Häute übergestreift.
Trotzdem ist es wahr, daß ich damals deine Milch aufgetunkt habe. Mein Durst ist süß und schmerzhaft gewesen. Die Tiere haben am Bach getrunken, während ich mit dir auf der Weide war unter den Halmen. Der Wind war im Buschwerk versteckt, die Sonne hinter den Hügeln.

Wir waren die roten Dornendreher. Wir hätten in einem Starenkasten Platz gehabt. Immerfort sind wir um die sommerliche Lampe geflogen. Du hast mich in den Fuchsbau gelockt. Als Kraken waren wir ineinander verstrickt. – Was wir nicht alles gewesen sind?!
Ich bin durch grüne Flüsse gewatet. Ich bin fortgegangen. Den Kopf habe ich gegen Mauern geschlagen. Das Blut hat geknirscht. Schnell ist die leere Kammer von Asche erfüllt gewesen. Der Regen hat die Kreideschrift von der Tür gewaschen. Einmal schlief ich. Ameisen krochen in meinen Mund. Aber da war längst kein Honig mehr, alle Süße . . .

. . Uhr . . .
Exupéry glaubte, ein Schiff zu sehen, draußen, am Horizont, die dunkle Silhouette eines Schiffes glaubte er sich abzeichnen zu sehen gegen den dunstigen Saum des Meeres. – Schiffe haben mit der Hoffnung zu tun oder mit der Ausfahrt oder auch mit der Heimkunft, aber an letzteres dachte Exupéry nicht.

. . Uhr . . .
HMS Queen Mary, Dylan an Bord, er blickt über die See. Es geht nach New York. So ist die Reise geplant. Die Queen Mary ist ein gewaltiges Schiff. Eben kommt der Küchenjunge aus dem Kombüsenaufbau. Er wirft Kartoffelschalen ins Meer. Wie da die Möwen schrein!

Die Möwen sind weiße Flieger. Der Kapitän tritt aus der Messe. Er trägt Galauniform. Alles schaut zu ihm auf. Und die Möwen über der grünen See, tausend Fuß tief oder mehr. Die Reise geht nach New York, so ist es geplant, aber eigentlich geht sie nach Wales, auf den kleinen Friedhof von Laugharne. Dylan weiß nichts davon, oder doch? Er zieht die Salzluft durch die Nase ein. Er lächelt einem Kind im Matrosenanzug zu. Er bestellt ein Bier. Wir befinden uns in der Bar, dreißig Meter unter der Meeresoberfläche. So hoch geht die Zeit. Dylan öffnet sich den obersten Hemdknopf. Ein königlicher Prinz soll an Bord sein. Na und?! Der Prinz der Apfelstädte hat den Schwager Zeit ein zweites Mal getroffen. Da waren aber die Felder schon abgeerntet, und bloß um ein paar nackte Stangen hat der Wind gepfiffen. Dylan trinkt. Er wartet.

Der Kapitän legt die Hand an die Mütze. Die Lotsen, deren Boot eben, winzig anzuschauen, an den Walfischbauch der Queen Mary anlegt, tun ein Gleiches. Es ist früh am Morgen. Ladys und Gentlemen sind an Deck geströmt. Da, – die Freiheitsstatue! Dahinter New York: Manhattan, Brooklyn, Hoboken, Bronx. Das sind so Namen! Auch Dylan lehnt an der Reling. Er kennt das Panorama. Vielleicht ist es ihm deshalb nicht möglich, sich darauf zu konzentrieren. Er sieht eine Wiese vor sich, das grüne Gras und niedere, graue Steinwälle und fernere Hügel gegen das milchige Blau der Ferne, in Wales, irgendwo, diese kahlen Hügelseiten und Stürze zum Meer, wo Ebbe und Flut wohnen, wo Jammer, Schuld und Qual sich lösen unter schwarzen Tüchern ohne Rest.

. . Uhr . . .
Das Schiff war abgerufen worden. – Eine Straßenecke, an der Kinder gespielt haben und die ganz plötzlich leer ist. Ein Baum, auf dem ein Vogel gesungen hat und der ganz plötzlich seine Blätter abwirft. – Das Schiff war verschwunden.
Bald müßte die Küste auftauchen, dachte Exupéry. Er betrachtete die Karte. Dort war die Küste verzeichnet.

. . Uhr . . .
Aus den Wiesen, die so grün waren wie die Abgründe des Meeres, soll sich damals der Greifenvogel erhoben haben, und der Sturm hat die Blüten von den Ästen gerissen. Wir waren unter Steinen verborgen. Du hast dich geängstigt. Ich habe dich beruhigt. Wie der Greifenvogel die brausende Luft unter seine Flügel genommen hat, so habe ich dich unter meine Arme genommen wie ein Kind. So soll das damals gewesen sein, und du hast gefragt, ob der Vogel schon weggeflogen sei, ob du hervorkommen könntest aus deinem Versteck, und, ja, habe ich gesagt, ja, er ist gegen Norden geflogen, er ist

fort, und dann vermeinten wir, von der Ferne her, von Norden, ein lautes Klirren zu hören, wie wenn Erz gegen Erz schlägt, und die Hügel ringsum schienen sich höher aufzuwölben wie Ufer gegen die Wiesen, auf denen noch immer der Wind gepflügt hat, besänftigter schon, so daß wir guter Hoffnung waren.

Ich entsinne mich: Aus den Wiesen sollen glänzende Samenkörner aufgeflogen sein wie springende Fische, die gegen die Hügel zerstäubt wurden und plötzlich ohne Leben waren, so als hätte ein Sturm die Fische ans Land geworfen, an Ufer, die niemandem freundlich sind, und ein großer Schatten ist über der Landschaft gewesen, so groß wie die Landschaft selber, und wir haben, unter den Feldsteinen hervorschauend, erkannt, daß das, was wir für das gewölbte Dach des Himmels gehalten hatten, die allumfassenden Schwingen des Greifenvogels gewesen sind. Da hast du geschrien in deiner Angst, und meine Worte sind wie Sand gewesen, den man, ohne etwas zu bewirken, in das mächtige Feuer wirft, in die Lohe, deren Widerschein wir am nördlichen Erdsaum zu sehen vermeinten, wo er auftauchte als Hinweis auf das, was kommen würde, unsere gemeinsame Angst.

. . Uhr . . .

Die Maschine lag ruhig in der Luft. Vorne, tief unten, die Küste, braunrot und grün anzuschauen gegen das weißlichblaue, an tieferen Stellen

dunkler gefärbte Meer. Exupéry konnte die Brandungslinie erkennen und die Vögel um die Felsen im Aufwind. Exupéry konnte die Dörfer sehen, deren Namen er auf der Karte hätte aufsuchen können, es aber nicht tat, und die steiler ansteigenden Hänge unter Wein- und Obstgärten und Eichen, und die fernen Gipfel der Alpen auch im Schnee, weil der Himmel klar war und ohne Wolken.
Exupéry blickte durch die Frontscheibe. Exupéry blickte durch die Heckscheibe. Ein fremdes Geräusch hatte sich dem Lärm seiner Motoren beigemischt. Er sah Vögel, vorne, hinten, Vögel, schnell sich vergrößernde helle Punkte. Seine Position war etwa siebeneinhalb Grad östlicher Länge und vierundvierzig Grad nördlicher Breite, berechnet nach dem Meridian von Greenwich, ein ganz bestimmter Punkt der Erde.
Das war die Position Exupérys. Das war seine Position.

. . Uhr . . .
Ein Flugzeug kann landen, das ist der gewöhnliche Fall, oder abstürzen, das ist der ungewöhnliche Fall. Andere Möglichkeiten, zur Erde zurückzukehren, gibt es nicht.

. . Uhr . . .
Die Frage, ob Exupéry die Möglichkeiten des Landens und des Abstürzens erwogen hat, kann

ehrlicherweise nicht beantwortet werden. Gesichert ist nur, daß sich seine Maschine auf Kurs nach Grenoble-Annecy befand, zu diesem Zeitpunkt vermutlich über dem planen Spiegel des Mittelmeeres. Die Maschine war für einen sechsstündigen Flug aufgetankt. Da seit dem Start soundsoviele Stunden vergangen waren, hätte Exupéry noch soundsoviele Stunden in der Luft bleiben können.
Insgesamt kann ich sechs Stunden in der Luft bleiben, dachte Exupéry. Später aber dachte er, vom hellen, smaragdenen Grün einer Meeresuntiefe verführt, an die grünen Gärten von La Mole und wie gerne er sich darin ergangen und wie gerne er den nahe gelegenen Fluß aufgesucht hatte, im Gedanken, eine kühle Wasserader unter der sommerwarmen Haut zu haben über dem Herz.
Gesetzt den Fall, dachte Exupéry, doch dann verbot er es sich, diesen Gedanken weiterzuverfolgen, denn er spürte, daß es nicht bloß ein Gedanke war, sondern ein Wunsch. Er sah Würfel vor sich, die mit Kristallkörnern gefüllt waren, er sah Kugeln vor sich, die mit Wasser gefüllt waren, er sah das Weltall vor sich, das mit Luft gefüllt war vom Ende zum Anfang, der das Ende war, das der Anfang war, wo er flog.

. . Uhr . . .
Was die Katastrophen betrifft, die Flugkatastrophen, so jene der *Tupolev* zuletzt, der Stolz Ruß-

lands, ihr Absturz bei der aerotechnischen Ausstellung in Orly, Paris.
Die *Tupolev* soll unter Jubel, Papierschlangen und losgelassenen Luftballons auf die Startbahn gerollt, soll zur Zufriedenheit der Ingenieure gestartet sein in gestreckter, kraftvoller Tangente ab vom Erdrund, zur vollsten Zufriedenheit der Ingenieure und Techniker, soll vor den Augen der entzückten Zuschauer, die die mit Blumen und Fahnen geschmückte Tribüne bevölkerten, aufgestiegen sein, geradewegs aufgestiegen sein wie ein von jeder Schwere befreiter Pfeil, hoch und schnell, wie die Wespe, als ein glänzender Strich über die grünen Wiesen und Waldungen rund um Orly, dem Ort der Katastrophe, wo die herrliche *Tupolev,* Stolz der UdSSR, vor den Augen der entsetzten Zuschauer in der Luft zerbrochen, zerborsten, explodiert, in ihre Teile zerfetzt worden sein soll, von einem Augenblick zum anderen.

. . Uhr . . .
Die Punkte vergrößerten sich schnell.
Sie waren anzuschauen wie ein Schwarm springender Fische.
Sie waren anzuschauen wie eine Luft voller Vögel.
Die Punkte vergrößerten sich schnell.
Es war, als werfe man glühende Asche in den Wind.
Es war, als ließe man Pfeile los.

So schnell vergrößerten sich die Punkte vor den Augen Exupérys.

. . Uhr . . .

Daedalos nahm Federn vom Habicht und Federn von der Taube. Er dachte, daß diese Verbindung nützlich sein könnte. Er nahm Wachs von der Biene und das dunkle Wachs der Erde, weil er dachte, daß es gut sei. Immer war er auf das rechte Verhältnis bedacht. So glühte er das Metall, bis es sprühte und weich war, und warf es hierauf in das aufspritzende Wasser. Desgleichen tat er beim Holz und wählte die verschiedenen Arten. Über dem dampfenden Kessel bog er es nach der Form der Vogelschwinge. So gedachte er die Flugmaschinen zu bauen für sich und den Sohn, er blickte über das Meer, so gedachte er zu entrinnen, fliegend wollte er den Luftraum durchqueren, so gedachte er sich in Freiheit zu setzen. Daedalos blickte zur Stadt hinunter, zum Labyrinth, von dem der Wind die Stimmen der Verzweifelten herübertrug.
All dessen glaubte sich Exupéry undeutlich zu entsinnen. Da war die Weite des Himmels und in Schalen darum die Weite des Weltalls. Da war Exupéry in der Kanzel, eingenäht in die Metallhaut seiner Maschine.
Später, als Daedalos sich nach seinem Sohn umsah, wie er es von Zeit zu Zeit zu tun gewohnt war, konnte er ihn nirgends entdecken. Mehrmals rief er den Namen des Sohnes durch den leeren

Luftraum. Da sah er im Wasser die Federn schwimmen.
All dessen glaubte sich Exupéry undeutlich zu entsinnen. – Die Tauben! Die Habichte! Die Federn, die das Wasser vermischte! – Er zog den Steuerknüppel hoch, aber es half nichts, die Maschine war ins Trudeln geraten, Exupéry stürzte ab.

15 Uhr 30
Interrogating Report
Pilot: Sgt. St. Exupéry
Time out: 0845
Time in:
Total Time:

Targets: Mapping East of Lyon
Results: No pictures
General remarks: *Pilot did not return and is presumed lost*
Officer: Vernon V. Robinson Ist Lt.

Das sind die Fakten. Andere Fakten liegen nicht vor. Alles andere ist Erfindung.

Bei bösem Wetter

VORREDE

Einmal, es ist nun schon Jahre her, verbrachte ich einen Sommer in einem abgelegenen Jagdhaus in den schweizerischen Alpen. Teils war dieser Aufenthalt in meinem Überdruß am Umgang mit Menschen begründet, teils von einer Krankheit erzwungen. Dem Rat der Ärzte zu einer ländlich-abgeschlossenen Lebensweise war ich in meiner damaligen misanthropischen Geistesverfassung nur allzu gern gefolgt. Der Zufall wollte es, daß mich just um diese Zeit eine Einladung ins ferne Zürich rief. So reiste ich denn von Glasgow nach Le Havre, von dort über Paris nach Zürich. Nach Erledigung meiner Verpflichtungen durchstreifte ich einige Täler der Innerschweiz. Dabei entdeckte ich unweit eines Dorfes jenes abgeschiedene Jagdhaus, das mir für mein Vorhaben geeignet erschien und in das ich bald darauf zurückkehrte, um fernab von der menschlichen Gesellschaft mir selbst zu leben.
Aus dieser Zeit nun bewahrte ich einige Hefte mit Aufzeichnungen auf, deren Vorhandensein mir aber selbst in Vergessenheit geraten war. Sie standen unter den Bänden meiner weitläufigen Bibliothek und stünden gewiß auch heute noch dort, unansehnlich und verstaubt, wären sie nicht einem meiner Freunde in die Hände gefallen. Mein Erstaunen war groß, als er sie hervorholte und mir vor Augen hielt, noch größer aber, als er nach einer gemeinschaftlichen Lektüre der Blätter auf ihre Veröffentlichung drängte, han-

delt es sich hier doch bloß um ein seltsames Gemisch aus Tagebucheintragungen, Exzerpten aus fremden Schriften sowie Notizen zu einem Roman, den ich späterhin jedoch nicht ausführte. Eben dieses ungeschiedene Chaos von Vorstellungen und Bildern, mein Freund nannte den Zustand „das Brodeln des Geistes über den Wassern", errege die Phantasie, meinte er.
Zwar konnte ich seine Meinung nur mit größtem Vorbehalt teilen, erlag jedoch schließlich seinem Drängen und, ich gebe es zu, jenem der eigenen Eitelkeit. Zu einer Überarbeitung der Aufzeichnungen verstand ich mich nicht. So übergebe ich sie in ihrem Urzustande dem literarisch interessierten Publikum.

Robert Louis Stevenson
Edinburgh 1880

Schon an der Poststation, als der Wagen, der mich hergebracht hatte, anrollte, zweifelte ich an der Richtigkeit meines Entschlusses. Ein kalter, mit Nieselregen vermischter Wind blies von den Bergen. Die höher aufsteigenden Flanken des Tales verschwanden oben in dichtem Nebel, der nur dann und wann vom Wind ein wenig gelichtet wurde.

Obwohl ich nun schon seit Stunden lüfte, riecht es im Haus noch immer nach Mäusen und Staub. Koffer und Kisten stehen herum und warten aufs Auspacken. Es ist eiskalt.

Schließlich legte ich mich noch in Reisekleidern auf das Bett und versuchte zu schlafen.

Die Fächer der Kästen sind mit alten Zeitungen ausgelegt. Ich nahm die Blätter heraus und las darin. – Ist das alles wirklich einmal passiert? – In einem Fach fand ich zu meiner Freude eine Bibliothek über die Reisen der großen Seefahrer sowie eine Sammlung von Märchen und Sagen; ein seltsamer Zufall. – Wie mögen die Bücher wohl hierher gekommen sein? Wem mögen sie gehört haben?

Ich schaute aus dem Fenster und verglich die Landschaft, die ich sah, mit ihrem Abbild auf der Karte, die ich vor mir ausgelegt hatte. Dabei ertappte ich mich, daß ich nach Abweichungen suchte, daß ich jedesmal erstaunt war, wenn ich feststellen mußte, daß die Karte mit der Wirklichkeit übereinstimmte.

Später befahl ich, Kurs gegen Westen zu nehmen. Das Festland ist ostwärts versunken. Ich habe die Erdkarte an die Wand meiner Kajüte geheftet.
Hier ist Europa, von wo ich ausgehe.
Und dort ...
Langsam strich ich mit den Fingern über die Karte, auf der eine blau aquarellierte Fläche den Ozean darstellt.

Der schlafende Kontinent unter der Oberfläche des Meeres: Seine Schultern beginnen sich zu regen. Sein Leib wölbt sich. Noch merken die Meertiere nichts von der sanften Hebung. Fische umschwimmen die rötlichen Riffe. In feinen Quanten sickert das Licht ein.

Gestern wollte ich die Koffer ausräumen und verstauen, ließ es aber dann doch wieder sein. Ich machte mir am Herd zu schaffen, legte die gußeisernen Ringe übereinander. Jetzt rächt es sich, daß ich keine Bedienung mitgenommen, ja selbst den Gedanken daran von mir gewiesen habe.
Stundenlang ging ich im Zimmer auf und ab, konnte mich jedoch nicht dazu entschließen, das Haus zu verlassen.

Schönwetter! Auf den Wiesen, die den Talgrund bedecken, mähen die Bauern das Gras. Mehrmals am Tag wenden sie das Heu, damit es rascher trocknet. Die Farbe der abgemähten Wiesen ist ein blasses Grün, weil die Grasstengel gegen den Boden zu, wo sie weniger Licht erhalten, fahl, ja fast durchsichtig sind. So erkennt man schon von weitem, wo gemäht worden ist und wo nicht.

Heute ist vieles geschehen und doch auch wieder wenig. Jedenfalls: Ich habe mich eingerichtet!

Jetzt freilich, wo alles verstaut ist, sieht es so aus, als hätten sich die Dinge von selbst ihren Platz gesucht. Kaum aus der Hand gelegt, sind sie zu ihrer alten Fremdheit zurückgekehrt.

Zur Einweihung des Hausstandes öffnete ich eine Flasche Portwein. Vor dem Haus sitzend, sah ich zu, wie langsam die Dämmerung einfiel. Die Kronen der Birnbäume, die das Haus umstehen, rauschten im aufkommenden Wind.

Später, als ich zu Bett ging, schlug es, so ich mich recht entsinne, sechs oder acht Glasen. Der Nachthimmel war dunkel, ohne Sterne. Das Schiff schaukelte sanft. Im Zwischendeck war's mir, als huschte ein Schatten vorbei. Ich lauschte, wagte mich nicht zu bewegen . . .

Einen Spaziergang unternommen. Gerade so weit gegangen, daß ich das Haus immer sehen konnte. Da stand es, klein und steingrau in der vom Wind bewegten Wiese. Es war da.
In der Ebene hätte ich bei einem solchen Unterfangen eine Kreisbahn beschritten. Hier war es eine recht unregelmäßige Kurve über Stock und Stein. Entdeckte allerlei Pflanzen: Wiesensalbei, Spitzwegerich, Thymian. Am Waldrand oben wilde Minze, die ich zwischen den Fingern zerrieb.
Einmal verlor ich das Haus aus den Augen. Ringsum Grashügel und Baumkronen. Der Wind wehte.

Nachdenken, erinnern, ahnen – diese langsame, tektonische Hebung: Bald werden die Riffe die spiegelnde Fläche durchstoßen, atmen und Land sein.

Der Himmel hat sich bedeckt. Es riecht nach Regen. Am Thermometer sehe ich, daß die Temperatur sehr schnell fällt. Wird wohl ein Unwetter kommen.
Der Widerschein ferner Blitze gaukelt geräuschlos über die dunklen Wände. Ich fülle die Teekanne, klappere in der Besteckladе herum. Draußen nimmt die Taghelligkeit stetig ab. Der Raum zwischen Himmel und Erde verengt sich. Die Hügel rauchen. Wieder trete ich ans Fenster.

– Was ist das? –
Aus den treibenden Wolken taucht plötzlich ein Arm! Ein entwurzelter Schiffsmast stößt in den trüben Luftraum vor!
Stille! Atemholen!
Da stürzen Planken, Takelwerk, Spanten in tollem Wirbel zu Boden, zerbersten in den braungrauen Wiesen. Jetzt hebt sich der Sturm und fällt ein.
Deutlich sehe ich den Schiffbrüchigen. Sein Kleid ist zerfetzt. Die Wogen überrollen ihn.
Hör! Der Pfiff eines Pfeifleins! Hell und durchdringend!

Ist's Said, mein Sohn aus Balsora?

Es regnet. Morgens ließ der Regen etwas nach, nun ist er wieder stärker geworden. Die Fensterscheiben beschlagen sich, werden allmählich undurchsichtig.

Erst zog ich mein Wollzeug, dann den Mantel an, doch es half nichts. Also mußte ich versuchen, den Ofen in Gang zu bringen. Ich habe noch nie eingeheizt. Im Schuppen fand ich schließlich ein Beil. Eine Katze saß auf der Holztriste, lief aber davon, als ich mich ihr näherte. Ihr Blick erinnerte mich an jenen alten, wetterzerfurchten Älpler, der mich bei meiner Ankunft an der Poststation halb argwöhnisch, halb abfällig musterte.

Hatte er einen Ring im Ohr, wie ihn manche Seeleute tragen, oder irre ich mich?

Draußen ist nichts von Bedeutung auszunehmen. In den Wiesen steht das Wasser. Stellenweise beginnen sich schon Lachen zu bilden. Die Berge haben dichte Nebelpelerinen übergeworfen. Im Weg leuchten Kieselsteine. Nimmt man sie ins Haus und läßt sie trocken werden, verlieren sie ihren geheimnisvollen Glanz.

Nachmittags öffnete ich mein Journal. Der Ofen bullerte. Eben als ich die Feder zur Hand nehmen wollte, kam mir wieder der graue Älpler in den Sinn. Sein Haar war grau. Vor sich hatte er einen einfachen Schubkarren, auf dem eine schwarze Truhe stand. Er lehnte müßig an einem Pfosten unter dem Vordach der Station und betrachtete mich.

Regentag. Der Ofen hat keinen rechten Zug, ich sitze in braunen Schwaden. Um mich zu erwärmen, trank ich ein Glas Branntwein.

Ich stelle mir ein Faß voll mit Branntwein vor und wie er in die Blechgeschirre der Mannschaft ausgeschenkt wird, die trotz des Eisregens geduldig am Oberdeck ausharrt. Ein Haufen einfacher Matrosen schließt den Zug, deren jeder den Mund voll Tabak hat, den sie mit stumpfer Gleichmäßigkeit kauen.

Seeleute besitzen für gewöhnlich solche Truhen. An der Reede von Glasgow sah ich eine: Drauf saß ein Mann, schwer betrunken, und sang:
Gehst zum Deibel, ohne Heuer . . .
Ein schwarzer Hund sprang über Taurollen und Ketten, die herumlagen.

Unsere Schiffe sind unter den Einfluß eines Nordosts geraten. Allerdings kommt eine starke See gegen sie auf. Die Schiffe stampfen. Sie machen nur wenig Fahrt. Wohin man auch blickt, nichts als graue, weißgesäumte Brecher, und der Flug der Seevögel, und das gegen die Weite sich fahler färbende Meer.

Ich mochte ungefähr zwei Stunden geschlafen haben, als mich ein kalter Wind, der mir übers Gesicht fuhr, aus meiner Selbstvergessenheit aufrüttelte. Der Himmel hatte sich aufs neue verfinstert. Ein Blitz, wie der, welcher das erste Unwetter herbeigeführt, erhellte noch einmal die Gegend umher, und ich glaubte, abermals jenen Schiffbrüchigen im Gewölk zu erblicken. Es konnte kaum später sein als fünf Uhr abends, doch war es so dunkel im Zimmer, daß das Glimmerfenster des Ofens soviel heller und größer schien als sonst, wie ein Rachen der Hölle.

Wetterumschwung: Klarer, eisig-blauer Himmel; die Luft ist scharf, das Wasser blitzt an den

Grashalmen. Ich holte mein Fernrohr vor das Haus und schaute zu den scharfen Schneiden der Berggipfel hinüber.
Auch Vögel habe ich schon fliegen sehen und an der Sonnseite des Hauses eine Biene.

Ich stieß die Balken meiner Kajüte auf. Es war früh am Morgen. Einer der Männer turnte eben die Treppe zum Heckaufbau herauf. Frische Pflanzen seien gesichtet worden, rief er, und grüne Fische, wie sie in der Nähe von Klippen leben, und ein Dornenzweig, ein hölzerner Zweig mit winzig grünen Blättern und roten Beeren.

Das Meer ist ruhig und glatt. Viele Matrosen springen ins Wasser und schwimmen neben den Schiffen her. Es ist wie Öl, sagen sie, wie das weiche Innere einer Muschel. Sie legen sich auf den Rücken und breiten die Arme aus.

Die sonnenwarmen Abhänge summen. Ich fand ein Kraut, welches stark duftet, vermochte es aber nicht zu bestimmen. Will man Grillen beobachten, muß man geduldig sein. Sie orten jede Erschütterung des Bodens. Reglos stehen ein paar Wolken über dem Tal. Sie werfen ihre Schatten hinein.

Der Posten im Mastkorb will einen rauchenden Krater am Horizont entdeckt haben. Plötzlich, etwa um die zehnte Stunde, stürzt eine riesige Flammenzunge vom Himmel ins Meer.

Ich kann es bezeugen. Ich habe es mit eigenen Augen gesehen.

Das Meer ist ruhig. Die Wiesenabhänge summen. Matrosen schwimmen neben den Schiffen her. Ein stark duftendes Kraut, das ich nicht kannte. Es ist wie Öl, sagen sie, wie das Innere einer Muschel. Ich legte mich auf den Rücken. Feuer brannten in der Dunkelheit auf. Es war mir alles so fern gerückt. Meine Augen sind müde.

Träumend entwarf ich einen imaginären Erdteil. Er ist rund wie ein Diskus. Er hat nur eine zentrale Erhebung. Vom Meer her gesehen gleicht er einem Brotlaib oder dem vollen Bauch eines Tieres. Seine Erde ist warm. Es tut gut, barfüßig darauf zu gehen. Rund um den höchsten Punkt sind, ringförmig angeordnet, Löcher hineingebohrt. Vergeblich wartet man auf das Auftauchen von Lebewesen oder Menschen. Es muß sie einmal gegeben haben. Jetzt sind sie zum Inneren der Erde abgestiegen, ihr Kontinent versinkt.

Waldwege, Weiden und die Fliegen um die Kühe herum. Ich habe ein paar Spaziergänge unternommen. Jetzt, wo gutes Wetter ist, bringen die Bauern Heu ein. Von weitem winken sie mir freundlich zu. Treffe ich aber einen auf der

Straße an, so geht er mir aus dem Weg. Die Kinder laufen vor mir davon. Ich merkte auch, daß sie mich insgeheim beobachten. Ist ihnen meine Eigenbrötelei nicht geheuer?

Ich beschattete meine Augen mit den Händen und sah den Vögeln nach, bis sie verschwunden waren.

Gegen Abend tauchte ein rauchendes Erdstück aus dem Meer. Es war wie ein Vulkan anzusehen, mit öden Landstrichen an den Flanken. Dann hob sich der Erdteil vollends aus dem Wasser, sein Fuß glühte und flog gegen Westen davon, einem Kometen nicht unähnlich.

Die Einsamkeit scheint die Einbildungskraft zu steigern. Mehrmals glaubte ich im Dunkeln allerlei Erscheinungen zu sehen, darunter den grauen Älpler, riesengroß, wie er eben seinen grauen Lodenumhang über eine brennende Landschaft warf, wohl in der Absicht, das Feuer zu ersticken.

Regen. Allerdings von jener stillen, gleichmäßigen Art, wie sie mir aus England nur allzugut bekannt ist.

Jetzt hat der Nebel die Umgegend verhangen. Die grünen Laubwolken der Bäume zerlösen sich darin. Mein Haus treibt durch die regenüberströmte Landschaft. Ich halte Fenster und Türen geschlossen, dennoch dringt die Feuchtigkeit ein. Die Kälte legt ihre Froschfinger an die Scheiben.

Wie habe ich diesen Tag hingebracht? – Draußen undurchdringliches, geisterhaft stilles Brodeln der zu Wasserdampf verdichteten Luftmassen. Manchmal drang ein schrilles Zirpen und Knirschen zu mir. Es klang, als wenn ein Schiff auf Grund geraten sei. Ich schloß die Holzläden, da ohnehin kein Licht durch die Fenster fiel, und verbrachte die Zeit dann dösend auf meinem Bett. Zu keiner Tätigkeit fand ich mich imstande, es sei denn ein unsinniges Auf- und Abgehen im Zimmer. Als ich die Augen öffnete, waren gelbe Flämmchen um alle Gegenstände, eine Erscheinung, die sich nach Sekunden verflüchtigte.
Vergeblich öffnete ich gegen Abend das Journal. Draußen begann es zu stürmen. So saß ich und sann vor mich hin.

In der Tiefe sah ich das Treiben eines lehmigen Mahlstromes, voll der verschiedensten Gesichter und Erinnerungen, die mir lange verschollen gewesen waren. Mit Mühe war ich in die Finsternis vorgedrungen und hatte auf einem vorspringenden Felsen Platz gefunden, wo ich, mit den brausenden Wellen unter meinen Füßen und dem wütenden Sturm über meinem Kopf, in meinen gewöhnlichen Gedankenzug verfiel, nämlich von der Einrichtung meines bisherigen Lebens und welche andere ich wohl hätte bewerkstelligen sollen.

Ich stelle mir ein Steinhaus vor, auf rechteckigem Grundriß, übermannshoch, übermannslang, mit einem steinernen Giebel.
Ich stelle mir ein Steinhaus aus grauen Steinen vor. Es hat eine Tür. Fenster hat es keine.
Ich stelle mir ein Steinhaus vor und weiters, daß ich dieses Steinhaus bewohne. Ich gehe darin ein und aus. Ich sitze darin oder davor. Ich stehe oder liege.
Ich stelle mir etwas sehr Einfaches vor.
Und sonst?
Ich stelle mir einen Abhang vor. Dort steht das Steinhaus.
Ich stelle mir das grüne Gras vor.
Vorne stelle ich mir eine Ebene vor, als Ausblick, oder das Meer, eine Ebene von Wasser.
Ich stelle mir vor, daß das grüne Gras den Abhang bedeckt.
Und sonst?
Ich stelle mir vor, im Haus zu liegen und zu schlafen.
Ich stelle mir vor, zu erwachen und aus dem Haus zu gehen.
Ich stelle mir vor, vor dem Haus zu sitzen und über die Ebene hinzuschauen oder über das Meer.
Ich stelle mir vor, ins Haus zu gehen, mich niederzulegen, zu schlafen oder zu sterben.

Später blickte ich durch die Felsenöffnung hinab, durch die ich heraufgekommen war und von wo aus man das ferne Tosen des Mahlstroms hörte; und dann hinauf zu den Berggipfeln, auf welche sich ein schwarzes Gewölk gelegt hatte, aus welchem man von Zeit zu Zeit ein dumpfes Murmeln vernahm.

Seit vorgestern regnet es ohne Unterlaß. Da ich keine Vorräte angelegt habe, werden die Lebensmittel allmählich knapp. Das Brennmaterial ist bereits ausgegangen. Ich muß mich auf den Weg ins Dorf machen. Wird meine Ölhaut dicht genug sein?

Die Uhr blieb stehen. Ihre Zeiger zeigen auf die römische Sieben.

Anderntags: Wieder überkamen mich Zweifel an der Richtigkeit meines Entschlusses. Was treibt mich dazu, hier auszuharren?

Ich saß am Tisch und legte das Gesicht in die Hände. War es Tag oder Nacht? Ein Sturm, wie ich noch keinen erlebt habe, hat uns aus der Bahn geworfen. Die Schiffe sind zu wenig beladen, was die Gefahr des Scheiterns vergrößert. Zwar hatte ich befohlen, die leeren Tonnen mit Seewasser zu füllen, doch niemand rührte eine Hand. Die Mannschaft liegt unter Deck und betet. Sturzseen begraben die Schiffe, die erst nach schier endlosen Augenblicken wieder nach oben kommen. Ich weiß nicht mehr, wo wir uns befinden.

Auf einmal schwebte ein Schiff, das wir vorher nicht gesehen hatten, dicht an den unsrigen vorbei. Jauchzen und Geschrei erscholl von dem Verdeck herauf, worüber ich mich zu dieser angstvollen Stunde nicht wenig wunderte.

Es fing an mit einem Blitz, welcher mir nicht nur die Berge und Felsen in meiner unmittelbaren Nähe, sondern auch die Tiefe unter mir, mit dem schäumenden Meer und den darin zerstreut liegenden Felseninseln zeigte, zwischen welchen ich die Erscheinung eines entmasteten Schiffes zu erblicken glaubte, welches im Augenblick wieder in der schwärzesten Finsternis verschwand. Was nützte es, daß ich meine Ölhaut fester um mich zog?! Auf den baumlosen Gründen, die sich gegen das Dorf hin erstrecken, kam der Regensturm so stark gegen mich auf, daß ich nach kürzester Zeit bis auf die Haut durchnäßt war.

Ich muß die Besinnung verloren haben. Man fand mich unweit des Dorfes, schmutzig und von einer seltsamen Starre der Glieder befallen, im Weg liegen.

Unter jenen, die mich auflasen und heimbrachten, war auch der graue Älpler. Er blieb bis zu-

letzt bei mir, wies die Frauen an, mich mit vorgewärmten Tüchern und heißen Getränken zu versorgen.
In der Tür, schon zum Gehen gewandt, drehte er sich noch einmal um.
Herr, Eure Truhe ist angekommen!
Welche Truhe?
Eine schwarze Truhe!
Eine solche Truhe besitze ich nicht!
Doch, doch, sagte er, sog an seiner Pfeife, an der Reede von Glasgow habt Ihr sie vergessen!

Als ich nachts einmal aufwachte, hörte ich, daß der Sturm sich gelegt hatte. Von fern vermeinte ich den rohen, wilden Gesang jenes Seemanns zu vernehmen: Gehst zum Deibel, ohne Heuer . . .

Stille! Die Flut ist vorüber! Ich sitze vor dem Ofen und wärme mich. Meine Hände zittern. Es ist eisig, aber der Regen hat aufgehört. Meine Erinnerung ist verwirrt.

Erster Ausgang heute. Sah den Fluß hochgehen mit braunen Wassern, die allerlei Zeug mit sich fortrissen. Dann Bauernkinder auf einer Brücke, die mit langen Stöcken Brauchbares aus der Flut zu fischen suchten. Dann Weidenbäumchen, die ganz still in stehendem Wasser untergetaucht waren. Und an einer Schnelle dann die in einer unbeschreibbaren Form von gespannter Kraft stürzenden Wellen. Bachstelzen jagten über den spritzenden Strudeln hin.

Ich saß in meiner Kajüte und rechnete. Es war Nacht. Die Mannschaft schlief. Die Schiffe lagen gut vor dem Wind. Das Unwetter war ausgestanden.

Sechzig Mann sind unter meinem Kommando: Offiziere, Steuerleute, Bootsmänner. Ein Haufen einfacher Matrosen schließt den Zug, deren jeder den Mund voller Verwünschungen hat. Allmählich erfassen die Zweifel auch die Tapfersten. Hat uns der Sturm über die Grenzen der belebten Erde hinausgeworfen? Manche drängen auf Umkehr. Sie weisen aufs Meer hinaus, in die graugrüne Ödnis der Salzströme. Nur die Erschöpfung verhindert den Ausbruch von Feindseligkeiten.

Morgens weckte mich das laute Schlagen der Tür. Ich hatte sie abzuschließen vergessen. Der Wind fuhr scharf über das noch taufeuchte Gras. Sogleich durchsuchte ich das Haus. Es war aber niemand da.

Klar und mit jener bedrückenden Deutlichkeit, wie sie sonst nur der Traum hat, sah ich heute die Steinwildnis des Hochlandes, aus dem wie glattpolierte Hörner die Gipfel aufragen. Dort gibt es keine Vegetation und folglich auch keine

Tiere. Die Farbe der Bergflanken ist ein metallisches Grau. Eine eben vorüberziehende Wolke warf ihre Schatten in die dunkler getönten Kare.

Ich zog mein Messer mit dem Schleifstein ab. Jetzt ist es scharf wie eine Rasierklinge. Als ich den Stahl anhauchte, begann er in allen Farben zu spielen. Vielleicht reise ich ab.

Vielleicht reise ich doch ab. Abreisen, aber wohin?
Kann sein, daß dies meine letzte Eintragung ist.

Klapperte durch das leere Haus. Wollte auskehren. Kaum hatte ich den Besen zur Hand genommen, stellte ich ihn auch schon wieder weg. Müdigkeit. Ein Stück eines Seiles kam mir unter die Hände. Während ich dasaß und vor mich hinstarrte, zerdröselte ich es.

Das Meer ist so dicht von grünen Pflanzen und Kräutern bedeckt, daß die Schiffe nur mühsam vorwärts kommen. Bei schwachem Wind sind wir fast manövrierunfähig. Die Mannschaft murrt. Ich muß mich vorsehen.
Kann sein, daß dies meine letzte Eintragung ist, daß die Meuterer losschlagen.

Heute?
Als sich die Abendsonne warm an die Mauer legte, war ich es mit einemmal zufrieden. Ich sah einer Spinne zu, wie sie sich abseilte. Ich sah das Licht in der Landschaft und wie es allem, Hügeln und Bäumen, seine Gestalt verlieh. Mein Schatten war groß und lang, als ich ins Haus trat. Käfer liefen über die Blätter des Sauerampfers.

Ich hatte gehofft, die Stimmung würde sich halten. Doch schon nachmittags kam die alte Unrast wieder über mich. Versuchte, sie mit Branntwein zu übertäuben.
Zehn Uhr! Die Reise kann beginnen! – Sie führt nach jenem unter einer Pflanzenwildnis versunkenen Erdteil, über dem sich rote und violette Wolken in bengalischer, wahrhaft höllisch zu nennender Beleuchtung bewegen. Im kalten Schein des Morgens aber verwandeln sie sich in katzengelbe Irrwische, die den Reisenden durch ihre nimmermüden Sprünge narren und quälen. Der Kontinent selbst nimmt das Aussehen eines mergeligen, regenzerweichten Ackers an, ein schiefer Pfahl steckt dort, es ist das Ende der Welt.

Mitternacht, ich trete vors Haus: Die Nachtgründe sind fest unter Wolken verpackt, kein Mensch unterwegs, Tierschemen hüpfen über die eingerissenen Gatter, verlöschende Elmsfeuer sehr fern über den Erdrand.

Das Land, auf das ich Kurs nehmen ließ, war eine Wolke. Inselgleich tauchte sie an der Erdkimmung auf. Ihre Hörner und Mulden leuchteten im Sonnenlicht wie Gebirge. – Ich habe mich täuschen lassen. Allzugern habe ich mich täuschen lassen, doch jetzt lasse ich mich nicht mehr täuschen, so werde ich nicht mehr getäuscht.

Die dumpfe Luft deutet auf ein neuerliches Unwetter. Quälend laut das Zirpen der Grillen. Die Vögel fliegen knapp über den Wiesen dahin. Aus dem Messingknauf meines Stockes sprangen Blitze.

Nachts, als ich schrieb, war es mir, als beuge sich jemand über mich. Auch vermeinte ich, den unreinen Atem eines Betrunkenen zu riechen. Der schwarze Hund!
Jener Hund von der Glasgower Reede lief kläglich bellend durch meine Träume. Er blutete von der Schnauze. Offensichtlich war er geprügelt worden, halb zu Tode geprügelt.

Morgens entlud sich ein heftiges Gewitter. Plötzlich riß der Himmel entzwei wie ein Vorhang. Aus dieser Spalte drang, gleicherweise von unten emporgerissen wie von oben einstürzend, die Sturmflut hervor. Schon Stunden eher schrien die Seevögel, sie scheinen das nahe Gewitter zu spüren.

In einer jener Atempausen, die der Orkan den Schiffen ließ, hörte ich Schritte und Stimmen vor meiner Kajüte. Verstehen konnte ich nicht, was gesprochen wurde, aber das brauchte ich nicht. Mehrmals wurde gegen die Tür geschlagen. Durch die Luke sah ich, selber verborgen, die Männer im flackernden Licht der Vormastlaterne. Jetzt hob sich wieder der Sturm, alles verschwand im grauen Sprühregen wie ein Spuk.

Nachts fand ich keinen Schlaf. Ich hatte Kopfschmerzen und Fieber. Kochte mir einen Absud aus Tee, Schnaps und Tabak.
Der Seemann, den ich, halb wachend, halb träumend, sah, hielt einen eisernen Schürhaken in der Hand. Oder war es das Blatt eines zerbrochenen Ruders? Eine Krücke?

Ich weiß noch: Es war in einer Schenke. Der Seemann verlangte barsch ein Glas Rum. Ein Blinder trat herein. Er hielt die Hände vorgestreckt. Der schwarze Hund sprang an ihm hoch.

Wenn ich nur nicht ernstlich krank werde! – Weit und breit kein Arzt, kein Freund, kein Vertrauter.

Oft schon war mir der Gedanke gekommen, daß ich in meiner Einsamkeit vielleicht glücklicher zu nennen was als so mancher andere, der inmitten der menschlichen Gesellschaft leben durfte und dem ihre Freuden vergönnt waren.

Wieder heftiger Fieberschauer, der Anfall hielt vier Stunden an. Kälte und Hitze wechselten miteinander ab. Ich sah Delphine und fliegende Fische, von welchen zwei auf das Verdeck niederfielen. Sie tragen je ein Paar von Hautsegeln, durchscheinend wie kostbare Seide. Ihr Auge ist rosenholzfarben, der schlanke Körper von jenem Grün, das im Regenbogen ist. In der glatten See spielten die Delphine so possierlich, daß ich durch ihre Betrachtung meine mißliche Lage vergaß und lächelte. Darüber fiel ich wieder in Schlaf.

Irgend jemand klopfte draußen. Es klang wie der Schlag einer Krücke. Ich war zu schwach, um öffnen zu gehen. Jetzt, es mag auf acht Uhr gehen, liege ich reglos im Dunkeln.

Zunächst kaute ich ein Stück eines Blattes, fühlte mich aber davon wie trunken, da der Tabak noch grün und kräftig war. Dann ließ ich etwas Tabak eine Stunde lang in Rum liegen, in der Absicht, vor dem Schlafengehen etwas davon zu genießen. War es eine Folge der Berauschung oder ist es eine gänzliche Verwirrung meiner Sinne? Ich nahm den Kompaß zur Hand. Die Magnetnadel wies, anstatt auf den Pol zu zeigen, ungefähr einen Strich nordwestlich!

Das Wetter hat sich ein wenig gebessert. Ich glaubte Musik zu hören und stellte mir vor, daß sie vom Anrühren der Sonnenstrahlen an die Dinge hervorgerufen werde.

Da mich der Schlaf etwas erquickt hatte und der Fieberanfall vorüber war, stand ich auf. Das Wetter zeigte sich wiederum freundlich, es war über Nacht warm geworden, so setzte ich mich vor das Haus an die Sonne.

Ich habe den Nachmittag verschlafen. Schon ist das Licht von Sepia getönt. Aus dem dämmernden Spiegel schauen mich meine Augen an.

Der Mann war offenbar blind, denn ein Kind führte ihn an der Hand. In dem mir unverständlichen Dialekt der Gegend bat er um ein Almosen. Kaum hielt ich ihm eine Münze hin, schloß sich auch schon seine magere, klauenartige Hand darum. Das Kind zog seine Mütze und verbeugte sich.
Ich sah den beiden nach, bis sie im nahen Wald verschwunden waren. Wenig später lief tatsächlich ein Hund die Landstraße entlang. Dann fiel sehr rasch die Finsternis ein.

Nachts wandte ich neuerlich das Mittel an. Ich betäubte mich stärker, indem ich die Menge des Aufgusses verdoppelte. Ein Schwarm von grünen, irisierenden Fischen zog durch meinen

Schlaf. Darunter sah ich, aus der Perspektive des Vogelfluges, einen mit Tang und Schlingpflanzen bewachsenen Kontinent.

Es geht ein wenig besser. Heute nahm ich meine Berechnungen noch einmal vor. Zum wievielten Mal eigentlich? Ich rollte die Karte aus, glättete sie mit den Fingern. Immer wieder rechnete ich die zurückgelegten Strecken zusammen.
Umkehren? Heimkehren?

Ich dachte daran, daß es tröstlich ist, in der Erde eingegraben zu werden, wenn man tot ist.

Der Tag war heiß. Fliegen surrten um die schnell eintrocknenden Kuhfladen. In den Wiesen wiegten sich blaue und rote Blumenköpfe. Pferde trabten in den Koppeln, schlugen aus, warfen ihre Mähnen. An einer Hütte standen Heuranten in den Himmel.

Das Fieber ist wiedergekehrt. Ich ließ mich, in Mantel und Decken gehüllt, an Deck tragen. Selbst meine nächsten Untergebenen erkannte ich nicht wieder.
Gebt doch die Krücke fort, Bootsmann, rief ich.
Der lachte, zeigte mir einen Enterhaken, wie man ihn zum Heranziehen von Beibooten verwendet.

Wir segelten auch in der Nacht fort. Es waren so viele Sterne am Himmel, daß es ganz hell war und ich fast über die Tagzeit irre wurde.

Die Luft verdichtet sich. Die Bäume stehen. Ein Blau ist in ihr Grün gekrochen. Ich habe ein Glas mit Wasser auf dem Fensterbrett vergessen. Jetzt sind die Wände des Glases mit feinen Wasserperlen bedeckt.

Ich ahnte schon, daß ein Sturm im Anzug sei; es war mir sogar angenehm, ich hoffte, dann zu sterben.

Morgens war noch schönes, wenn auch ein wenig dunstiges Wetter. Die Bäume warfen ihre unscharfen Schatten ins Gras. Ein Oktopus verdunkelte den Himmel mit seiner Tinte. Dann wurden die Wellen von Stunde zu Stunde mächtiger, ihre Intervalle länger. Das Licht schwand. Nun ist Finsternis, bloß in weitester Ferne ein fahler, glosender Saum. Eine Menge von weißen Schulpen wurde an Deck geworfen und zerrieben. Die Brecher überfluten das Schiff und reißen alles fort, was nicht vertäut und vernagelt ist. Ich befahl, die Segel zu reffen. Die Männer umklammern die Rahen, wenn das Schiff, eben noch hoch wie eine Kanzel, zur Tiefe saust.

Laut krachend flog die Tür auf, der Älpler trat herein. Was ist, rief ich in größter Angst, obwohl ich ihn doch erwartet hatte.

Ich bin gekommen, Euch abzuholen! Seid Ihr bereit?
Er lächelte, deutete auf die schwarze Truhe, die mitten im Zimmer stand.
Ich sehe, Euer Gepäck ist schon fertig!

Draußen warteten die anderen. Der Blinde und jener mit der Krücke, den ich als den Glasgower Seemann wiedererkannte, schulterten die Truhe. Trotz des bösen Wetters stimmte er sein Leiblied an:
Gehst zum Deibel, ohne Heuer,
Bleibt dir nichts als deine Truh ...
Der Hund lief unruhig um uns herum. Hinter dem voranschreitenden Älpler zogen wir in das Gewitter hinein.

Ich hatte mich an den Mast geklammert und hielt ihn, als das Schiff geborsten war, noch immer fest.
Schon wollte ich mich verloren geben, da erspähte ich in der Ferne Land. Ob es eine Insel oder gar Festland war, konnte ich nicht erkennen. Das Land war braunrot, zerklüftet und kahl. Helles Licht war darüber ausgegossen.

Als ich erwachte, sah ich, daß mein Polster schwarz war von getrocknetem Blut. Draußen stürmte es. Mit dem Schürhaken versuchte ich das noch schwach glosende Feuer anzufachen.

Ulenspiegel Amerika

New York
Der John F. Kennedy-Airport liegt auf Long Island. Er ist der größte Flughafen von New York. Ebendort geschah es, daß Till Ulenspiegel, Wanderer durch Länder und Zeiten, den Boden der Vereinigten Staaten betrat.
Der John F. Kennedy-Airport hieß früher La Guardia-Airport, aber dann wurde der Präsident erschossen. Man änderte den Namen. Zwischen den Betonplatten der Rollbahnen wächst kein Gras. Sind auf dem Empfangsgebäude Fahnen aufgezogen, flattern sie im Wind.
Die DC 9, an deren Bord sich Ulenspiegel befand, landete gegen Mittag eines windigen Tages auf der Rollbahn Nummer Eins. Wenig später setzte Till seinen Fuß auf den Boden der USA.

Kneitlingen
Farnkräuter und Heidelbeeren umrahmen den Ausblick. Vorne liegt auf einem Hügel das Dorf. Es ist kaum eine Handvoll von Häusern. In der Mitte steht der Kirchturm. Die nächste Ortschaft ist Ampleben. Man kann sie aber nicht sehen, so hoch steht das Gras.

Irgendwo
Sehr fern, kaum zu erkennen, die kleine Gestalt. Sie reitet auf grünen Wolken. Sie steht in federndem Grün. Sie ist von blaugrünem Rauch umschlossen.

Jetzt sehe ich sie deutlicher. Jetzt fasse ich sie ins Auge: Der Rock ist rot und blau kariert. Schellen sind daran befestigt. Sie glänzen. Sie glänzen wie Penny-Münzen in der Sonne.
Mehr kann ich zur Zeit nicht ausnehmen.

New York

Till blähte die Nasenflügel auf. Er schnoberte die frische Brise, die vom Meer herüberwehte. Der langgestreckte weiße Leib des Flugzeuges, dem Till entstiegen war, trug eine blaue Aufschrift. Durch das Blaßblau des Himmels segelten weiße Wolken. Es war ein freundlicher Tag, so recht gemacht dafür, ein Abenteuer zu beginnen.

Irgendwo

Erst sind es Fußstapfen im Sand, die mir auffallen. Ich stehe auf einem Feld, das mit Heidekraut bedeckt ist. Der Wind knistert darin. Da und dort entdecke ich Nester mit kleinen graugrün gesprenkelten Eiern. Weit und breit kein Mensch.
Aber die Fußstapfen?
Täusche ich mich? Ist da nicht ein feines metallenes Klingeln in der Luft?

New York

Schon von weitem sah Till zwei unauffällig gekleidete Herren auf sich zukommen. – Waren es Beamte der Einwanderungsbehörde? Waren es zu seiner Beschattung aufgebotene G-Men? War es eine Bodyguard, die ihm die amerikanische Regierung freundlicherweise zur Verfügung stellen wollte? – Sei's, wie's sei, dachte Till, am bessern, ich verdufte. Nach alter Gewohnheit versuchte er sich zur Seite zu verdrücken, aber es war schon zu spät.
„Mister Ulenspiegel?" fragte einer der Herren mit höflich angedeuteter Verbeugung. Der andere wippte nervös auf und ab und ließ seine Absätze knarren.
„Ulmenflügel?" fragte Till zurück, zog eine Grimasse und entsprang. Das Menschengedränge an den Ausgängen kam ihm dabei sehr zupaß.

Ampleben

Wer nach Ampleben gelangen will, muß einige Bäche überqueren. Es sind Seilbrücken und Stege. Die Fische im Wasser, die Vögel in der Luft, der Hase im Feld – alles gehört dem Herzog. Doch der Herzog ist freigebig. In Ampleben hat es eine Kirche, hat es eine Schule mit Schiefertafeln. Durch die Fenster der Schule stecken grüne Ulmen ihre Äste.

New York

Um Ulenspiegel war es nicht sonderlich bestellt. Sein Kostüm war fadenscheinig, sein Gesicht eingefallen, sein Magen leer. In den Taschen fand er, wie er sie auch wendete und umwendete, bloß Grus und Krümel, und darum gibt es nichts zu kaufen.

Da er nicht recht wußte, was er nun anfangen sollte, setzte er sich im Getriebe der Halle auf eine Bank und ließ den Verschluß einer Brandyflasche aufknacken, die ihm im Duty Free Shop in den Sack gehüpft war. – Das Stehlen ist eine prosaische Kunst, dachte er, und kein Gewerbe für einen wie mich, der Schneider, Herzöge und Roßtäuscher zum besten gehalten hat. – Wie er so dasaß und auf den Ankündigungstafeln all die fremden Städtenamen aufscheinen und wieder umblättern sah, *Tokyo, Detroit, Bombay, Boston* und *Sidney,* rührte ihn das Heimweh nach der Alten Welt an. – Welche Teufel haben mich überredet, diese Reise zu tun, dachte er, ist es nicht beschwerlich genug, sein Lebtag lang das Pflaster zu treten und seine Wege mit der Elle des Landstürzlers zu messen? – Eben jetzt hörte er die Stimme der Ansagerin ausrufen: „Flight five o five to Frankfurt – gate number three!“ und er tat einen langen Seufzer.

Irgendwo

Morgens schwimmen die Karpfen zur Weide. Sie lieben das stillere Wasser. Manche Karpfen sind moosig. Angelruten sind grün.
Die Flußmitte ist heller, die Strömung poliert den Kies. Ein Holzsteg reicht bis dorthin. Früher wurde hier Wäsche gewaschen. Heute landen Libellen dort. Weil der Steg morsch ist, wird er nicht mehr betreten.
Ein Krug, in dem ich Milch oder Most vermute, steht am Ufer. Über die Öffnung ist ein Tuch geworfen. Ich verhalte mich leise. Neben dem Krug liegt ein Kescher. Ein Vogel ist in der Luft. Wo ist der Taugenichts, der hier fischt?

An der Saale

Nahe beim Fluß stehen die ärmlicheren Häuser. Sie sind mit den Marken von Hochwasserjahren geschmückt. Aus ihren Dachluken quillt Heu. Manchmal turnt dort ein Bürschchen heraus und versucht zu fliegen.
Alle paar Jahre tauchen die Seiltänzer auf und verdrehen mit ihren Kunststücken allen den Kopf. Ziehen sie weiter, fehlt da ein Huhn, dort ein Schinken. Das Gauklerseil spannt sich verlassen über dem Fluß.

New York

Till entdeckte einen großen Orientierungsplan, an dem man mittels Knopfdruck verschiedene Punkte der Stadt aufleuchten lassen konnte. Elisabeth, Montclair, Pearl River, Hackensack, Bergenfield – das waren Namen, die Till gefielen, aber die Orte lagen allesamt zu weit ab, um sie zu Fuß erreichen zu können.
Schließlich drückte er Rockaway Point, und der war ganz in der Nähe. Erst als Tills Blick auf den Maßstab des Planes fiel, sah er, daß auch der Weg nach Rockaway Point eine kleine Weltreise sein würde.

Wo ist es?

Ich sehe graue Felsen mit grünen Kappen aus Gras und Gewächsen. Ich sehe dampfende Haufen von Treibholz. Das Treibholz dampft in der Sonne. Weit sehe ich über den grauen Schlick zu den flachen Halligen hinaus. Vor mir ein frisch umgeackerter Koog.
Das muß am Meer sein. Vom Haff her tönt ein Gesang, der mich, ich weiß nicht warum, der fernen Heimat gedenken läßt.

New York

Schon lange, ehe Till es sah, begann er das Meer zu riechen. Er beschleunigte seine Schritte. Anfänglich hatte er versucht, ein Auto anzuhalten. Niemand war stehengeblieben. Die Straßen wa-

ren auch zu gerade, zu schnell, und man sah so weit in die Ferne.
Rechts und links waren Kiesgruben und Teiche. Alles schien verlassen. Was Till erst für eine Ansiedlung gehalten hatte, entpuppte sich später als Autofriedhof.

Im Magdeburgischen

Ein nachmittäglicher Prospekt mit grünen Fluren und Straßen und Ortschaften: Heute ist Kirchweih. Die frischen Bretter des Tanzbodens duften nach Harz. Die Küchen verströmen köstliche Gerüche. Aus Fässern wird helles Bier gezapft. Bettler und Stromer mischen sich unter die Feiernden, um auf die eine oder andere Weise ihr Teil zu ergattern. Niemand verjagt sie. Nachts bevölkern sie Stadel, Bienenhäuser und Torwege.

New York

Der Strand war um diese Zeit fast menschenleer. Nur ein paar in Decken und College-Pullovers eingerollte Liebespärchen lagen versteckt in den Dünen. Von einem Erfrischungspavillon, dessen Fenster zugenagelt waren, leuchteten die Reklametafeln für *Pepsi* und *Seven Up* herüber. Ulenspiegel stand unschlüssig im Sand und fuhr sich mit dem Ärmel immer wieder über die Nase. Dann setzte er sich, um irgend etwas zu tun, in Bewegung. Schon nach ein paar Schritten waren seine Schuhe voll Sand.

Ulenspiegel ging den Strand entlang, bis er die Landspitze erreicht hatte. Dort machte er halt und blickte über die Bucht bald nach Sandy Hook rüber, bald nach Staten Island, wo auf dem trüben Wasserband der Narrows immer wieder Tankschiffe und Ozeanriesen auftauchten. Der Wind blies kalt und trieb alte Zeitungen und Pappbecher über den Strand. Ulenspiegel fror. Er holte die Brandy-Flasche hervor. Die Abfälle, die das Meer an den Strand warf, wurden von Möwen durchstöbert. Sie stocherten mit ihren Schnäbeln darin herum. Till schluckte den Brandy. Er trank die Flasche leer. Lange schaute er nach Osten hin über die grauen Wellen bis an den Horizont, wo er weit fort Europa vermutete, ehe er sich einfach auf den Rücken fallen ließ und zum Schlafen zusammenrollte.

Irgendwo

Es sind Zelte aus diffuser Nebelgaze über den Feldern aufgestellt worden. An den Teichrändern ist das Schilf schon geschnitten. Das Haselgebüsch raschelt nicht mehr.
Sehr fern, kaum zu erkennen, die kleine Gestalt. Sie fliegt über die Rutenköpfe der Weiden hin. Sie hüpft über angeschwollene Regenbäche. Sie vergeht im Nebelrauch, der kalt aus der Landschaft aufströmt. Ich sehe sie nicht länger. Sie ist fort.

New York

Es war schon dunkel, als Till erwachte. Die bengalischen, sich vielfältig im Meer widerspiegelnden Lichter von Coney Island erregten seine Aufmerksamkeit. Er hatte Hunger. Von den schwarzen Wassern des Rockaway Inlet stieg die Nachtkälte auf. Die Brandy-Flasche war leer. Till hob die Hände. Es war ihm, als streckte er sie aus unterirdischen Gewässern empor. Auf dem Meer draußen fuhr ein hell beleuchtetes Vergnügungsschiff vorbei. An Bord waren nur wenige Menschen zu sehen. Es war wohl zu kalt und windig. Die Schlagermusik aus dem Tanzsaal drang laut zu Till herüber. Er rappelte sich auf, ging den finsteren Strand entlang, bis er die Straße erreicht hatte, von der er hergekommen war. Still und leer lag sie im gelben Licht der Straßenleuchten.

Noch einmal Magdeburg

Der Hauptplatz ist mit Steinen gepflastert. Zwischen den Steinen wächst Gras. Heute kann man von alledem nichts sehen, so viele Leute sind auf dem Platz. Sie haben kein besonderes Geschäft zu besorgen. Sie warten. Sie blicken zum Balkon des Stadthauses hinauf.

Aber es tut sich nichts. Bloß ein paar Sperlinge landen auf dem eisernen Gitter, tschilpen und fliegen wieder fort.

New York

Als endlich ein Auto vorbeikam, winkte Till. Es hielt tatsächlich an. Der Fahrer lachte, als er Till sah. Er war betrunken.
Sie fuhren am Naval Airport vorbei, durch den Brooklyn Marine Park nach Bensonhurst hinüber. An den Kurven leuchteten die Scheinwerfer weit ins Gelände hinaus. Am nächtlichen Himmel sah Till ein großes Flugzeug, das sich im Anflug auf den Kennedy Airport befand. Seine Flughöhe war so gering, daß Till die roten und grünen Positionslampen unterscheiden konnte. Der Fahrer vergnügte sich damit, so zu tun, als wollte er das Flugzeug abschießen.
An einem Drive-In-Restaurant hielten sie kurz an. Der Fahrer zog ein paar Bierdosen aus einem Automaten. Das Zischen, das beim Aufreißen entstand, erschreckte Till. Er wandte sich um, um zu schauen, ob das Flugzeug noch in der Luft war.

Stratosphäre

Der Van-Allen-Gürtel ist der letzte Schutzring der Erdsphäre. Er absorbiert die Strahlungen aus dem Weltraum. Es ist eine große Leere ohne Vögel und Fische. Es sind elektromagnetische Kraftfelder. Sie leuchten sanft in der Finsternis.
Unten streckt sich die Erde. Wo Herbst wird, fliegen die Gänse fort. Die Menschen stehen am Weg und winken.

New York

An einem der Eingänge zum Rummelplatz setzte der Fahrer Till ab. Till wollte sich bedanken, aber da rollte der Wagen schon an.
Das also war Coney Island!
Vom Lärm der Musikboxen und Ausrufer, der sich mit dem Gestank, den Popcorn- und Würstchenbuden verströmten, vermischte, wurde ihm augenblicklich übel. Neben dem als Weltraumkapsel aufgemachten Kartenhäuschen einer Luna-Bahn erbrach er sich. Der Coney-Island-Vergnügungspark ist der größte Vergnügungspark New Yorks.

Wo bin ich?

Ein Baum nach Art der Akazie mit Büscheln von roten Beeren daran: Ich lehne an seinem Stamm. Und Sterne blinken durch die dunkle Krone, in der sich der Nachtwind einquartiert hat.
Oder täusche ich mich? Fliege ich in einer atmenden Wolke aus Blättern?
Und die kleine Gestalt? Wo ist sie? Läuft sie nicht dort, in der Tiefe des Raumes, über eine Straße aus Kirschen und Vogelbeeren?

Anhalt

Da steht ein wehrhafter Turm. Rundherum stehen die Mauern der Burg. Das alles schaut sehr streng und stolz aus.
Im Hof stehen Pferde und fressen. Drei Ulmen

stehen da und werfen angenehme Schatten. Eben zieht der Türmer eine gebratene Hammelkeule zu sich in die Türmerstube hinauf. Sein Hut segelt in den Hof hinab. Das wiederum sieht recht gemütlich aus.

NEW YORK

Till stand vor einem Kaugummi-Automaten. Er zögerte.
Sollte er einen *Spearmint* oder einen *Juicy Fruit* Kaugummi kaufen? Welcher von beiden würde wohl schneller seinen üblen Mundgeruch vertreiben?

BERNBURG/ANHALT

Die Menage ist recht ordentlich. Der Graf läßt es an nichts fehlen. Nachts scheinen die Sterne. Vom Turm sieht man weit ins Land. Dort sind Äcker und Wäldchen und Kirschgärten. Und Dörfer mit Strohstangen, die es auf den Mond abgesehen haben.
Einen Nachtvogel besteigen und hinüberreiten!

NEW YORK

Ein in Ketten geschnürter Riese wurde auf das Podium herausgeführt. Der Anreißer kündigte ihn als den *Herkules von Coney Island* an. Rasch scharten sich Schaulustige um die Bude.
Ein Mädchen wurde auf das Podium gebeten.

Sie durfte die Eisenketten auf ihre Solidität prüfen, den Bizeps des Riesen befühlen. Dann spannte er lächelnd seine Muskeln an, und Stück um Stück sprangen die Ketten von ihm ab. Jetzt wand er sich wie eine Schlange, ließ die Stirnader groß und zuckend hervortreten, keuchte und sprengte schließlich mit einem wilden Schrei die letzten und stärksten Fesseln: Der Riese war frei!

IST ES DA, IST ES DORT?
Diesmal keine Watten, nichts als Wasser, das Meer über den Watten: So seh ich's vom Vorland.
Steifer Wind, so daß die Wellenkämme wie mit Firnis übergossen scheinen. Ich schaue.
Aus Büschen taucht das Gesicht der kleinen Gestalt. Ich habe es noch nie gesehen, erkenne es aber sofort.
Es anschauend, lange anschauend, ist's mir, als schaute ich auf das Meer hinaus, sähe draußen einen Arm aus den Wellen tauchen, einen nackten Arm.

NEW YORK
Till hatte kein Ziel. Er ließ sich vom Treiben der Schaulustigen bald dahin, bald dorthin mitnehmen. Manchmal lächelte er. Es war aber nur eine feine Kräuselung an der Oberfläche seines Gemüts. In der Tiefe regte sich nichts.

Braunschweig

Eine Allee von Pappeln führt auf das Städtchen zu. Die Straße neigt sich bergab. Da bewegen sich die Beine wie von selbst. Wer das Torgeld nicht zahlen kann, muß schauen, wie er seinen Weg durch die Mauern findet. Am besten, er wartet auf die Nacht. Dann turnen Meerkatzen durch die staubigen Hinterhöfe der Träume.
Und Eulen lauern den Schlafenden auf.

New York

Im Morgengrauen fuhr Till per Anhalter über die Verrazano Narrows Bridge nach *Staten Island* hinüber. Die Verrazano Brücke ist die längste Brücke New Yorks. Eben als sie sie überquerten, kreuzte unten ein Ozeandampfer durch. Till konnte in die großen, schwarzen Schornsteine hineinsehen. Die Decks waren menschenleer.
Der Staten Island Expressway führt zum New Jersey Turnpike hinüber. Der Mann, der Till mitgenommen hatte, drehte das Autoradio laut auf. Von Werbeansagen immer wieder unterbrochen, verlas der Sprecher die Frühnachrichten. Da erfuhr Till, daß sie hinter ihm her waren.
Später wurden Schlager gespielt: *Sweet Virginia, Sittin' in the sun, I'm going back to Oklahoma, Wichita Lineman.* Der Mann am Steuer sang leise mit. Der mit Industrierauch und Abgasen vermischte Morgennebel war so dicht um sie herum, daß die Welt draußen ganz leise war und weit, weit fort.

Lüneburg und weiter

An den Schöpfwerken kann man Wasser trinken und auch den Ledersack anfüllen. Man muß aber achtgeben, daß man nicht erwischt wird.
Die Heide ist groß, denkt man, aber der Wege sind wenige. Es sind weite Flächen aus Grün und Grau, mit Steininseln darin und Inseln von Gestrüpp. Auch Viehherden begegnet man. Starke Rottweiler Hunde umkreisen sie.

Und weiter

Wo Pferde sind, gibt es Schmieden. Haho! Folge mit den Bälgen! sagt der Schmied. Er bläst in die gelbe Esse.
Nun gibt es Aufregung. Einer ist gekommen, der will seine Stiefel beschlagen lassen. Es sind besondere Stiefel. Sie springen, sie greifen weit aus, sie tragen fort durch Sonne und Mond.

New York

Sie fuhren jetzt sehr schnell die Straßen hinab, die wie ausgefegt vor ihnen lagen. Till sah, daß die Tachometernadel um die Sechzig-Meilen-Marke tanzte. Von ferne hörte er den Ton einer Sirene. Dann sah er einen Schlot, der eine von Funken durchflogene Rauchwolke ausstieß. Es war sieben Uhr fünfundvierzig.

Im Kopf

Anbei wächst auch Pfeifenkraut, und der Mohn dort hat dicke grüne Köpfe. Die Mühle selbst ist halb unter wildem Hopfen versunken, es lebt niemand mehr darin.
Eine Wiese zieht sich zum Fluß hinunter, sie steht wild voller Gras. Auf den Stengeln kriechen rote und braune Käfer, an manchen Stellen steigt Dampf auf, die Sonne saugt den Tau auf.
In der Wiese liegt ein großer langer Mann. Seine Jacke ist aus Wollzeug. Ein rotes Herz ist auf seiner Brust aufgenäht. Der Mann schläft, ein Esel guckt aus der Mühle, im Fluß springen die Fische.
Ist es wahr?
Dieses, so glaube ich, träumte mir.

New York

Ein kalter Regen war gefallen. Aus dem Kraut, das unverbaute Grundstücke bedeckte, stiegen Vögel und schrien. Till hatte sich in eine Telephonzelle geflüchtet und ein wenig gedöst. Allerlei war ihm da in den Kopf gekommen.
Er sah Läden aus gescheuertem Holz, auf denen Berge von Blumenkohl waren und sauber gebündelte Spargel mit rosig überhauchten Spitzchen, Pyramiden von saftigen Paradeisern und wehrhafte Wälle aus weißen Rettichen . . .
Er sah Haselruten, Krüge und Zinken aus Metall. Die Zinken waren so spitz und scharf, daß, sie standen wie Zähne eines riesenhaften Rechens

rund um die Erdkimmung, der Wind allerlei Töne an ihnen hervorbrachte, es klang wie Zikadenlaut, doch schneidender.
Er sah Schinken und Würste und einen Zuber voll Blut. Aber es war nicht unheimlich zu sehen, weil auch Gänse in Käfigen da waren, und weil ein Puter nach seinen geschlachteten Jungen rief.
Wieder suchte Till nach Geld, aber er fand keines in seinen Taschen. – Wie hätte es auch dorthin gelangen sollen? – Er schüttelte nur den Kopf, die Schellen schepperten.

Hamburg

Ein gediegenes Stübel, etwas dunkel vielleicht, mit getäfelten Wänden und voll jener Wärme, die allein das nachgedunkelte Holz verleiht, ist ein guter Ort, wenn draußen die Ratten quieken und der Sturm Mehl und Gries aus den Fugen der Speicher reißt.
Jetzt kommt die Wirtsfrau und zündet die Lampe an. Jetzt treten Männer ein, die hohe Stiefel anhaben. Durch das Fenster sieht man den Leuchtturm, der vergeblich den Schiffern das sein möchte, was die Lampe den Zechenden ist.

Ist es wahr?

Die kleine Gestalt, dort vorne, ganz in dämmerndes Braun eingegossen: Leicht vorgeneigt steht sie da in der Stille.

Es ist wie ein Steingarten mit Disteln. Es sind braune Disteln wie Sterne. Es ist, als wenn es langsam Abend würde.
Ich sehe Quadersteine und Brecher. Ich sehe ein Leuchtfeuer und Wolken, schließlich ein aus Wassern emportauchendes Gesicht.

Hamburch

Der Himmel, der sich drüber spannt, trieft wie nasses Ölzeug. Die Kirchtürme durchstoßen ihn. Deshalb kann man die Spitzen nicht sehen.
Von oben gesehen ist der Hopfenmarkt viereckig. In seiner Mitte steht ein Brunnen. An seinen Rändern findet man allerhand Kneipen. Sie gehen über von Knaster und Gegröle. Da wird manch hart verdienter Taler zu Bier und Aquavit.
Was aber ein Hungerleider ist, der hat auch auf dem Hopfenmarkt nichts zu lachen, der tut gut daran, seinen Kopf in den Brunnen zu stecken, um die Grillen daraus zu vertreiben.

New York

Überall waren die grauen, schief geneigten Flächen des Regens aufgestellt. Sirenentöne durchstießen sie, wurden stumpf und verloren sich schließlich in fernen Winkeln.
Ein Regentag ist kein guter Tag für mich, dachte Till, hat doch mein Hut keine Dachrinne, sind meine Schuhe doch keine Boote, darin ich Pfüt-

zen und Rinnsale so kühn überqueren könnte wie einstmals General Washington den Fluß Delaware.
Ulenspiegel lehnte in einer Hauseinfahrt des Roosevelt Drive und blickte mißmutig auf den East River hinaus, wo trotz des tristen Wetters ein reger, fast fröhlich zu nennender Schiffsverkehr herrschte. Schräge Rauchfahnen stiegen aus den Schloten der Schleppkähne, und das vielfältige Tuten ihrer Hörner war das reinste Konzert.
Ja, ein Washington müßte man sein, dachte Till, oder, besser noch, ein echter Lincoln. – Und er sah die geräumige Lincoln Memorial Hall vor sich, in der ein überdimensionaler steinerner Lincoln Jahr um Jahr im Trockenen sitzt.

Irgendwo

Ich sah einen großen Raum ohne Decke. Oben schaute der Himmel herein. Es war wie ein Platz zwischen Türmen, und still war es hier. Seltsam, daß überall Licht war und nirgends Schatten.
Dort hatte man Ballen zuhauf gestapelt, aus denen getrocknete Blüten quollen. Ich roch daran. War es Tee oder Safran oder etwas anderes?
Es waren graugrüne Hopfenblüten, in der Form den Artischocken gleich, die vom Wind zur Größe von Baumkronen aufgeplustert und, aus der Ferne ähnlich wie Wolken anzuschauen, über den Platz verweht wurden.

New York

Öllachen schillerten auf dem Wasser. Mit der Bewegung der Wellen zogen sie sich bald zusammen, bald dehnten sie sich aus. Till betrachtete dieses Spiel so lange, bis rote und blaue Wolken vor seinen Augen aufwallten und es ihn schwindelte.

Als ein vorbeikommender Fußgänger eine lange rauchende Kippe wegwarf, stürzte Till hin und hob sie auf. Es war eine schneeweiße, minzengrün bedruckte *Reyno*. Den Mentholgeschmack liebte Till zwar nicht allzusehr, aber was sollte er an diesem gottverlassenen Tag anderes anfangen, als aufgelesene Kippen pfaffen und sich durch ihren Rauch hindurch den windigen East River in Illusionen von Herbstsonne, Gras und Laub zu verwandeln.

Bremen

Ein grauer Meeresarm reicht weit ins Land hinein. Die Stadt selbst, aufs erste gar nicht zu entdecken, ist hinter einer Barriere aus geflochtenem Rohr verborgen. Man sieht Binsenkörbchen, Fischernetze und Bojen. Die Bürger selbst sind damit beschäftigt, Wein in einen Bottich zu schütten und ihn hernach wieder zu verteilen. Sind ein seltsamer Schlag.

Vom Westen her tauchen des öfteren weiße Zeppeline auf. Kinder laufen aus den Häusern und rufen. Später stellt sich meist heraus, daß jene Flugkörper bloß die Wolken eines spätsommerlichen Tages sind.

Sonstwo

Einmal sah ich einen, der allerlei Grimassen schnitt. Es war in einem Flur, wo Milchkrüge standen. Draußen schien der Mond. Sein Licht war so fein wie gesiebtes Mehl.
Dann aber hörte ich eine Schelle klingen. Ein Mann turnte an den Strahlen des Mondes empor. Er trug eine Jacke aus Wollzeug. War ihm wohl ein weniges von dem Mehl in die Nase gekommen, denn er schneuzte sich. Sein Taschentuch war rot und blau gewürfelt. Es wehte im Nachtwind.

New York

Es war in der Bronx oben. Till strich zwischen den Lagerhallen des Viertels herum. Er war auf der Suche nach einem Unterschlupf für die Nacht. Die Sonne stand im Westen, weit hinter dem Hudson und den westlichen Vororten, dort rollte sie durch die weizengelben Ebenen, durch die grasgelben Prärien. – Hätte ich doch wenigstens die Höhle eines Karnickels, dachte Till, mich darin zu verkriechen. – Ein Steinchen war ihm in den Schuh gehüpft. Er setzte sich auf eine Kiste, band den Schuh auf und schaute die staubige Straße zwischen den Hallen hinab, auf den freien East River hinaus, nach Long Island hinüber, das fest verankert an seiner alten Stelle im Meer schwamm. – Leg doch ab vom Schiffsbauch des Kontinents, dachte Till, trau dich, leg doch ab! – Er lachte. – Ich selbst sitze fest, bin hier auf

Grund geraten, hab' meinen ganzen Mumm verloren. – Und obwohl er sich solches sagte, konnte er sich der Vorstellung nicht entziehen, daß er auf einem kleinen losgerissenen Eiland gegen das Meer fahren würde, zwischen Gräsern, die der Wind biegt, daß sie hinaufsegeln würden nach Nova Scotia und über Neufundland hinaus nach Grönland und immer weiter fort. – Mit festem Stand würde ich mich an den Wind legen, leicht und verliebt an seine Klingen, das würde mir wohl gefallen, dachte Till, betäubt sein vom Meerduft, steif von Salz.

New York

Die Sonne stand im Westen, weit fort über den brettlebenen Präriestaaten, über Iowa vielleicht oder über Dakota oder gar über Kansas. Und Till, der auf einer Bierkiste mitten in der Bronx saß, versuchte sich vorzustellen, daß er die langen Schatten, die die Häuser der Bronx ringsum warfen, verlassen und nach Westen aufbrechen würde.

– Ich bin nicht länger Ulenspiegel, nein, das Gras steht hoch, mein Vieh ist schwarz-weiß gefleckt: Ich bin Westerner, ein Mann mit braunem Gesicht, auf dem Bartstoppeln sind, die schon weiß zu werden beginnen. Meine Frau heißt Maud, zwei Kinder sind da, der kleine Steve und sein größerer Bruder Rod. Ich bin Herr über viertausend Acres besten Weidelandes, und nach mir wird es mein Sohn Rod sein und nachher weiß

Gott wer, ist ja egal, wenn das Gras gut steht, grüne Flut, wenn ich nur schwimme, holla, und der Sonne meinen Hut zeige.
Und Till blickte lange über den Long Island Sund hin, wo die Leuchttürme vom Locust und Throgs Point ihre Signale in die Dämmerung auszusenden begannen.

Kopfinnen

Eicheln regnen von den Bäumen. Die Wolken haben sich verzogen, es ist warm geworden.
Die Oberfläche des Wassers ähnelt einem Uhrglas. Das Uhrglas ähnelt der Himmelskuppel. Ameisen kriechen über das Uhrglas, verlieren sich in der blauen Luft dieses Herbsttages, eine Kiefer duftet.
Brassen und Hechte bewohnen das Wasser, ein Weg führt darum herum. An manchen Stellen wächst Schilf, die Wiesen sind sumpfig.
Im Süden erhebt sich ein grüngestrichener Uhrturm. Ich sehe ihn deutlich. Die Uhr schlägt eins. Ein Riese könnte das Wasser durchwaten, die Brassen mit Händen fangen, die Uhrzeiger anhalten, ja, ein Riese müßte man sein!

New York

Als Till die Klappe der Mülltonne über sich schloß, fühlte er sich gut aufgehoben. Aus der Tiefe hörte er noch eine Weile das Wühlen der Ratten, es roch nach faulenden Seggen.

Er sah eine besonnte Mauer, auf der eine Ameisenstraße war. Er sah Türme, über die sich scharf konturierte Schatten bewegten. Dann war es ihm, als füllte sich alles mit Wasser. Ein Schwarm von Fischen huschte oben vorbei. Helle Flecken waren auf der schwingenden Oberfläche, die er von unten sah.

Bald Bremen, bald Lübeck

Hier darf's einen nicht wundernehmen, wenn Schneidergesellen durch die Luft fliegen. Das passiert gar am hellichten Tag. Die Bürger kümmert's nicht, sie gehen ihrer Wege.
Einmal geschah es, daß sich ein solcher Luftikus an den Uhrzeigern des Lübecker Stadthauses verfing. Daraufhin zerschlug ein Bäuerlein alle Krüge, die auf dem Markt feilgehalten wurden. Es half aber nichts. Der Schneider blieb hängen, die Krüge wurden nicht ganz, ellenhoch stand die Milch in den Straßen.

Wismar

Vom Wasser her gesehen ist es recht unscheinbar. Brennesseln, an denen Tautropfen hängen, versperren die Aussicht. Schiebt man sie mit den Händen beiseite, sieht man gleich ein Gewirr von Giebeln vor sich, mit Schornsteinen, Katzen und Wetterhähnen. Guter Bratenduft kitzelt die Nase. Brot freilich wird auch hier nicht verteilt, denn nur wer Brot hat, dem gibt man Brot.

Dem Schalk aber hüpfen die Läuse aus dem Pelz. Er gibt vor, sie lesen zu lehren. Unterdessen nähren ihn die Bürger, schauen abwartend in den Schaum ihrer Bierkrüge. Nachts blühen die Nesseln auf.

New York

Ein Lastwagenfahrer nahm Till mit. Till gähnte, er war noch ganz verschlafen. Der Wagen hatte Gemüse geladen, das für einen Supermarket in New Rochelle bestimmt war. Von der Straße, auf der sie gemütlich dahinfuhren, konnte man das Meer ausnehmen. Als Till ein paar Möwen am Strand auffliegen sah, erinnerte er sich daran, daß sie hinter ihm her waren. Er war guter Dinge. Am Pelham Bay Park ließ er sich absetzen und winkte dem Wagen so lange nach, bis er um eine Kurve verschwand.
Während er nun durch den um diese Stunde leeren Park spazierte und das tauige Gras roch und da und dort ein Stückchen Rinde oder ein Blatt von einem Baum zupfte, dachte er daran, wie er vor ein paar Stunden durch die dämmrigen Straßen von Greenwich Village getappt war und die Milchflaschen von den Türstapfeln der Häuser genommen hatte.

Salzwedel

Kraut und Rüben werden in bester Qualität auf den Markt gebracht. Er ist das Herz der Ansied-

lung. Die Frauen hier sind ob ihres Liebreizes berühmt.
Die Stadt selbst ist klein, liegt in eine Wanne aus toniger Erde geschmiegt, ein Hahnenruf trägt von einem Ende zum anderen. Die Büttel haben nicht viel zu tun. Sie gehen auf den Händen, um alles besser zu sehen. Was sie da nicht alles sehen?!

NEW YORK

Am Circumferential Highway, der die Stadt in einer weiten Schleife umgibt, verläßt Till, der gewitzte Schalk, den Greyhound-Autobus. Die sauberen Einfamilienhäuschen mit ihren gepflegten Vorgärten erinnern ihn an Irgendwo, der Duft von Frühstückskaffee und frischen Toastbroten daran, daß er Hunger hat. Er klopft an die Tür des erstbesten Hauses, eine hübsche junge Frau im Morgenrock öffnet ihm, er lächelt, sie lächelt, und Till weiß, daß er hier nicht nur ein Frühstück, sondern auch noch andere Köstlichkeiten zu erwarten hat. Die Vögel zwitschern in den Gärten, ganz ferne hört man das Rauschen des Highways, Till tut eins nach dem anderen, knabbert erst von den zarten, marmeladebestrichenen Brötchen und dann vom durchscheinenden Kandiszucker der jungen Frau ...
So träumte Till, während die Sonne höher stieg und der Tag fortschritt.

Irgendwo

Ich sehe etwas ganz Einfaches, ich sehe einen Zaun, der von Taubnesseln überwachsen ist. Ich sehe die Beete eines Gartens. Es ist ein verwilderter Garten. Ein Gewirr von Kürbisstengeln, ein Gewirr von haarigen Kürbistrieben und Blättern. Aber die Kürbisse sind fort.
Ich sehe einen ausgefahrenen Weg. Dort steht ein Schubkarren. Er ist mit grünen Kürbissen beladen. Der Weg ist tief eingeschnitten. Über ihn hängen, so gleicht er einem Tunnel, an Ästen Winden und Hopfenranken herab.
In dieser Dämmerung sehe ich die kleine Gestalt. Ich sehe sie laufen, aber sie ist nicht da. Ich muß sie beim Aufwachen verloren haben.

Ganz nahe

Eine Schaukel, rot und blau, zwei Bäume als Kandelaber, dort ist die Schaukel befestigt. Die Schaukel fliegt.
Von ferne Gelächter. Schauer von grünem Blattwerk. Ganz nahe der schöne, runde Mond.

Helmstedt

Nähert man sich zur Stunde der Dämmerung, sieht man ein seltenes Schauspiel: Die Frauen steigen allesamt auf einen hölzernen Steg, damit ihnen die Pelze gewaschen werden. Das geschieht zweimal im Jahr, wenn der Stadtweiher warmes Wasser hat.

Ein anderer Brauch dahier ist das Wollschlagen. Mit schweren Flegeln wird drauflosgedroschen, bis die Luft voll blauer und roter Wollfussel ist. Dann beginnt ein Fest.

New York

Till war wieder unterwegs. Müde setzte er einen Fuß vor den anderen. Den Hudson River kann man an drei Stellen überqueren: durch den Holland Tunnel im Süden, durch den Lincoln Tunnel in der Höhe von Manhattan und schließlich über die Washington Bridge im Norden. Till war in Fort Lee drüben gewesen, um die Gegend zu erkunden. Jetzt lehnte er sich ans Geländer der Brücke und ließ seinen Speichel in die Tiefe tropfen.
Am liebsten hätte er sich in ein Taxi gesetzt und sich durch die Stadt fahren lassen, fort und fort, ohne jedes Ziel, mit dem einzigen Wunsch, nur nicht stehenzubleiben. – Wie schön ist es, sich einfach vom Verkehrsstrom treiben zu lassen, bald dahin, bald dorthin, an immer neuen Häusern, Hallen und Türmen vorbei, deren Einzelheiten, kaum daß man sie wahrgenommen hat, schon wieder von anderen überdeckt und abgelöst werden. – Till schaute über die lichte Weite des Hudson River hin, die im Süden von Schlieren und Wolken durchzogen war, so daß jenes ferne, silberne Flimmern, das vom Meer draußen herstammte, bloße Ahnung blieb.

Quedlinburg

Der Abend legt rosige Wolkenbänke um das Weichbild der Stadt. Spinnwebenzarte Strickleitern hängen daraus nieder. Scharen von Wachteln und Krammetsvögeln steigen auf. Die Bürger legen frische Servietten um und ergötzen sich an diesem Schauspiel, wissen sie doch, daß die Vögel alsbald gebraten vom Himmel regnen werden.
Ein Reisender hat es ihnen erzählt. Ja, wer weit herumkommt, der weiß mehr, als sich ein Quedlinburger träumen läßt.

New York

Till war mit der Subway nach Norden gefahren, weil er hoffte, daß es in den weniger dicht verbauten Außenbezirken leichter sein würde, Quartier und Zehrung aufzutreiben. Die Gegend war freundlich: Grüngestrichene Fensterbalken, Blumenkistchen, Klingelknöpfe aus Messing. Hier gab es auch rollschuhlaufende Kinder oder solche, die mit einem Stab einen Reifen vor sich hertrieben, und im Vorbeigehen konnte Till von Rosenbüschen, die über die Zäune der Vorgärten hinaushingen, die eine oder andere Blüte abknipsen, um sie an die Nase zu führen und ihren Duft einzusaugen.
Es war aber alles umsonst.

Dortzumals

Mispeln bevölkern das überjährige Gärtlein. Ein wenig Schnee säumt die Wegränder. Manche Bäume haben Flechtenbärte vorgebunden.
Eine Schelle ist an die Haustür gezeichnet, Holzschuhe stehen auf dem Stapfel. Rauchwolken über dem Kamin, Wolken über der Erde. Der Wald steht voller Bäume. Fällt man sie, werden ihre Äste abgehackt, die Rinde geschält. Eine Axt ist vergessen worden. Sie rostet. Rot sind die Tannennadeln, grau die Schneeflecken. Manchmal findet man Hirschzähne.

New York

Es war alles umsonst gewesen. Die Hausfrauen hatten nicht einmal sein Lächeln zur Kenntnis genommen. Till ging weiter und weiter wie aufgezogen. Am Rand einer Mülldeponie machte er halt. Die Halden rauchten. Till schneuzte sich in die Hand. Dann lachte er leise in sich hinein. Eine Katze, die um ihn herumschlich, verscheuchte er mit einem Steinwurf. Till befand sich bereits im Staate Connecticut, doch dessen war er sich nicht bewußt. Es hätte ihm auch nicht weitergeholfen.

Erfurt

Also in Erfurt setzt es allemal Prügel. Dort ist es Sitte, das Fell über beide Ohren gezogen zu tragen. Am Fluß unten steht die Kolonie der

Lohgerber. Diese tun nichts anderes, als die Felle ihrer Mitbürger täglich durchzuwalken. Manchmal schneiden sie aus Leder allerlei Tiergestalten zu, Schwein, Kuh oder Pferd, und blasen ihnen lebendigen Atem ein. Mit diesem Vieh erlösen sie bei den Bauern der Umgebung so manchen Dukaten, wird es doch niemals krank und braucht nichts zu fressen.

New York

Auf dem Rummelplatz in Yonkers: Till durchsuchte die Abfallkörbe von Wurstbratereien. Die Haare hingen ihm ins Gesicht. Er war froh darüber, denn er schämte sich. Yonkers ist ein Vorort im Norden. Rummelplätze aber sind seit eh und je Tills liebster Aufenthaltsort gewesen. Nachdem er sich an Wurstzipfeln und ausgetrockneten Chips so halbwegs gesättigt hatte, suchte er ein Pissoir auf. Im Vorbeigehen nahm er die Münzen von dem Teller, der dort aufgestellt war. Dann betrat er eine der zahllosen Spielhallen, um sein Glück zu versuchen.

Sangerhusen

ist weit ab von jeder Straße und nur mühselig aufzufinden. Ringsum sind Stoppelfelder, auf denen Krähen herumhüpfen. Dann folgen Gärten voll mit Ginster. Das Dorf selbst ist wie im Schlaf. Kommt ein Fremder, so kriegt er meist nur den Idioten zu sehen, der lächelnd durch die Gassen geht und mit Kugeln jongliert.

NEW YORK

Der Automat hatte vier Walzen. Jeder war eine der vier Farben zugeordnet: Eichel, Herz, Schelle und Blatt. Till warf ein und zog den Hebel herunter. Die Walzen begannen zu rotieren.
Die Walzen rotierten, wurden langsamer, blieben stehen. Till sah gar nicht hin. Er wußte schon, daß er verloren hatte.

IRGENDWO

Im feinen Sprühregen, den ein vorbeihuschender Wagen aus den Lachen wirbelt, sehe ich das Haus mit der Schelle. Die Schelle ist gelb. Die gelbe Schelle ist an die Tür gemalt. Das Haus hat grüne Regentraufen. Die kann es gut gebrauchen. Es regnet sehr viel hier. Eben noch sah ich das Haus und flüchtig, im Fenster, die kleine Gestalt. Nun ist alles von Wolken verdeckt, hinter Regenschauern verloren.

NEW YORK

Auf allerlei Umwegen war Till nach der Bronx gelangt. Dort war ein Zoo, ein richtiger Tiergarten mit Bären und Giraffen und Elefanten. Und es gab Futtertüten mit Brotkrusten, von denen man mit ein bißchen Überwindung schon naschen konnte.
Eine Weile schritt Till, ohne recht zu wissen, was er nun anfangen sollte, zwischen den Käfigen auf und ab und betrachtete die eingesperrten

Tiere, die, je nach Veranlagung, faul in der Sonne lagen oder rastlos an den Gitterstäben entlangstrichen. Es war ein wenig windig geworden, aber immerhin warm genug, um sich irgendwo in einer Wiese ausstrecken zu können und zu schlafen.

Till ließ sich auf eine Bank fallen und starrte auf seine staubigen Schuhe hinunter. Als ihm auch deren Anblick zuviel wurde, schloß er schnell die Augen.

Gegen Abend könnte man auf den aus eigenartig verdrehten Stahlspiralen gebauten Aussichtsturm steigen, immer höher und höher, und oben angelangt, brauchte man der Stadt und dem von Lichterketten eingesäumten Long Island Sund gar keinen Blick zu schenken, sondern könnte sich leicht und selbstverständlich über das Geländer hinauslehnen, hinauslehnen und in die Dunkelheit hinunterfallen lassen.

New York

Als die ersten Regentropfen ringsum aufschlugen und leise im Staub zerplatzten, schreckte Till aus seinen Gedanken hoch. Der Zoo war jetzt ganz leer. In der Ferne hörte Till ein Kind schreien, wohl aus Angst vor den dunklen Gewitterwolken, die von Blitzen manchmal wie von hinten beleuchtet wurden. Till stand auf, strich sich die Haare aus der Stirn. Sein Blick fiel auf den Affenkäfig, und er sah, wie der langbehaarte Orang-Utan, der auch den Kindern nicht geheuer war, mit seinen Hornfingern gemächlich durch die Stäbe langte und einen schönen, rotwangigen Apfel ergriff.

Bamberg

liegt säuberlich geordnet im Feld, gleicht dem Acker, woraus keiner noch wiedergekehrt ist. Hat hohe Türme voller Schalmeien, die ihre Weisen für jene spielen, die dahingegangen sind.
Ansonst gibt es Gasthöfe, in denen aber nichts zu holen ist, weil die Wirte selbst ihren Fässern ähneln. Das Wasser ist gut und von großer Stärke, treibt es doch die Mühlenräder und bewegt die Hämmer der Schmieden. Der Reisende jedoch soll sich besser an den Apfelwein halten, hat doch so mancher Geselle aus dem Wasser schon seinen Tod getrunken.

Nach Nürnberg

Unterwegs trifft man auf Häuser, in denen Äpfel gebraten werden. Auch Zuckerspindeln werden dort gedreht. Sind alleweil fröhliche Kinder darum, zu Streichen aufgelegt. Niemand lacht da über den Schalk, so hat er nichts zu lachen. Der Schalk zieht weiter, bis er die biederen Uhren von Nürnberg ticken hört.

Nach Schweinfurt

Das ist schnell erklärt: Über grüne Hänge sieht man auf ein liebliches Tal. Da rinnt ein Fluß durch lichte Waldungen und Felder. Da sind viele Häuser um ein großes Bratwerk versammelt. An Holzgestellen hängen die Schweine. Der Bratenduft lockt Wölfe und Füchse an. Verräterisch klingt unter Pelzen die Schelle.

New York

Dort wo der Hutchison Parkway den Bronx Expressway kreuzt und der New England Thruway in letzteren einmündet, sind viele Kneipen. Eine davon betrat Till. Obschon er kein Geld hatte, bestellte er Wein. Er trank schnell. Er ließ sich vollaufen.
Draußen fuhr ein blaugestrichener Lieferwagen mit der Aufschrift *Macaroni* vor. Die Aufschrift war gelb. Der Chauffeur trug einen blauen Overall und eine blaue Schirmmütze mit der Aufschrift *Macaroni*. Die Aufschrift war gelb. So wußte man gleich, daß der Fahrer zu dem Lieferwagen gehörte und der Lieferwagen zu dem Fahrer und daß die beiden einander nicht verlieren konnten. Und Till, der sich in einem abgeblätterten Wandspiegel widerspiegeln sah, wurde über diese Betrachtungen mit einem Mal sehr froh.

Erdinnen

Auf die Sial-Schichte folgt die Sima-Schichte und auf diese der Nife-Kern. Er ist von großer Dichte. Er wiegt schwer. Er ist heiß und blühend von Flammen. Man nennt ihn das Erdherz.

New York

Till war hinter einen Kistenstapel gekrochen. Aus seiner Nase rann Blut. Er holte sein Taschentuch hervor, wischte das Blut ab und legte das Tuch dann über die Augen, damit es endlich dunkel würde um ihn. Wie von ferne hörte er rufen: Sie sind hinter dir her!
Er lächelte. – Ich bin ja bei mir. – Es konnte ihm nichts mehr passieren.

Irgendwo

Sehr nahe jetzt, blickfüllend, überwölbend, die kleine Gestalt. Ich schärfe die Optik, ich wende sie einwärts: Ganz deutlich jetzt etwa die Brust aus Wollzeug, es ist rotblau kariert. Die Brust regt sich, die Farbflächen dehnen sich, vergeblich schärfe ich die Optik des Kaleidoskops.
Eine Hand taucht auf, die große Hand vor meinem Gesicht: Sie macht Gesten, sie will mir etwas deuten.
Was sagen die Gesten? – Komm näher? – Verschwinde?
Ich schärfe die Optik: Wolken am Abendhimmel, durch deren Löcher sich Licht ergießt.

Sonstwo

Ich sah einen Hof, darin tanzte ein Pferd auf den Hinterhufen. Es trug keinen Reiter. Dieser stieg eben über die Dächer, balancierte auf schmalen Firsten. Sein Haar war grün.
Eine Katze sprang aus dem Schornstein. Sie stellte ihren Schwanz auf. Er sah aus wie ein Striegel. Der Mond lächelte darüber oder auch nicht. Vielleicht kitzelte ihn bloß der närrische Reiter, der ihm ins Ohr geklettert war.

New York

Good morning, Till! Wohl geruht, schön geträumt? – Er erhob sich schwankend. Alles schmerzte ihn. Eine Ratte, die ihm über das Gesicht gelaufen war, hatte ihn geweckt. Es war noch dunkel. Er tappte auf die Straße hinaus. In seinen Ohren waren Stimmen. Er steckte die Finger hinein, so als wollte er Wasser am Eindringen hindern. Es half nichts. Die Straßenlampen schwankten. Soviel er auch den Kopf beutelte, die Stimmen ließen nicht von ihm ab.

Nach Mannheim

Soll man nach Mannheim gehen? – Da kochen sie Lindenblütentee in großen Zubern. Straßen und Plätze duften danach. Die ganze Stadt ist just wie ein Hospital, so frisch gekalkt und reinlich. Ihre Bürger sind es zufrieden, haben jeden Morgen und Abend Klistier, streben eiserne Hochzeiten an.

Weht eine weiße Fahne über der Stadt, tagsüber, weht schwarz nachts, wenn die derben Karren rollen.

Oder nach Mölln?

Da lieber nach Mölln! – Liegt auf freiem Feld, ist ein Schacht, ein Meter breit, zwei Meter lang. Der Schacht ist von dunkler Erde. Ein Stein verschließt ihn. Wenn's dämmert, steigen Pferde daraus und grasen. Oder sie jagen über die Ebene hin. Ihr Fell glänzt. Man fürchte sich nicht! Ist doch der Klang ihrer Hufe wie Schellen und Schalmein.

New York

Im Morgengrauen trottete Till die Fifth Avenue hinunter. Sie lag ausgestorben vor ihm, die Ampeln blinkten gelb. Till begann zu laufen. Erst als er die Zollgebäude an der Upper Bay erreicht hatte, wurde ihm leichter. Er wußte nicht warum.
Das Sightseeing-Schiff, an dessen Bord Till sich geschwindelt hatte, fuhr rasch über die Bucht und an Ellis Island vorüber. Dort waren früher die Einwanderer kaserniert und untersucht worden. Jetzt sind die Gebäude verfallen, ist der Zaun, der die Lager umgeben hat, zerrissen. Till ließ seinen Kopf über die Reling hängen, in der Hoffnung, daß das Rauschen der Bugwelle die Stimmen übertönen würde.

Von Ellis Island stieg ein Schwarm Möwen auf, die das Schiff bis zu seiner Ankunft in Liberty Island umkreisten.

New York

Till sprang an Land, schaute kurz an der Freiheitsstatue hinauf, die sich kreidigweiß gegen den Himmel abhob, ehe er sich wieder umwandte und über die graue, windige Fläche des Meeres zur Skyline von Manhattan hinüberblickte.
Dann war es, als zögerte er. Schnellfliegende Wolken waren über der Bucht. Winzig war Till anzuschauen, als er auf die Statue zuging. Ganz laut riefen jetzt die Stimmen in seinen Ohren. Dann sah er überall unauffällig gekleidete Herren auftauchen. Sehr rasch kamen sie jetzt auf ihn zu.

Inhalt

10.80